TRIGGER
HET PAARD WAARMEE ALLES BEGON

MONICA BORACCO BORRING

Trigger het paard waarmee alles begon

lannoo

Voor Julia

www.lannoo.com/kindenjeugd

Oorspronkelijke uitgever Cappelen
Oorspronkelijke titel *Trigger*
Uit het Noors vertaald door Reina Ollivier
Omslag Studio Lannoo
Foto omslag Corbis

D/2008/45/92 – ISBN 978 90 209 7669 4 – NUR 283

1.

Wanneer begon het eigenlijk precies? Misschien met die leugen van Alise tegen Rebekka over het paardrijden? Nee, toch niet. Misschien met die leugen van mama tegen Alise over paarden? Nee, ook niet. Het begon in elk geval met een paard. En met Lasse. Misschien begon het wel die dag op de boerderij van Lasse. Die dag dat hij naar de stad zou verhuizen om in een bejaardenhuis te gaan wonen. Toen hij zo kwaad was, zo verschrikkelijk kwaad op alles en iedereen. En het meest van al op zijn eigen oude hart, dat hem twee keer na elkaar in de steek had gelaten.

Alise kende Lasse niet zo goed, ook al was hij haar opa. Buiten die week tijdens de zomervakanties gingen ze zelden bij hem op bezoek. En voor zover ze wist, was hij slechts twee keer bij hen geweest. Eén keer toen Alise gedoopt werd, twaalf jaar geleden. En een volgende keer toen haar broertje Jacob gedoopt werd, twee jaar geleden.

Alise was niet echt bang voor Lasse, maar ze wist nooit goed waar ze met hem aan toe was. Hij had dezelfde gezichtsuitdrukking wanneer hij kwaad was als wanneer hij een grapje maakte. Of wanneer ze dácht dat hij een grapje maakte. Want daar was Alise eigenlijk nooit zeker van. Zelfs zijn stem klonk in beide gevallen hetzelfde.

En nooit, nóóit ging hij leuk of gezellig met mama om.

Alise vond het vreemd om te bedenken dat mama hier op Het Pleintje was opgegroeid. De boerderij met zijn grauwe erf was zo klein dat hij geen echte boerderij leek. In het midden van de smalle weg die erheen leidde, groeide gras. Er stonden slechts een paar scheve gebouwtjes rond een centrale ruimte, en daarom werd de boerderij Het Pleintje genoemd. Het grootste gebouw op het erf was de hooischuur. Alle gebouwtjes hadden roestrode dakplaten en kleine, ruitvormige ramen. Het woonhuis had door de zon verkleurd behang met hier en daar bleke rechthoeken waar ooit schilderijen hadden gehangen. De keuken was blauw geverfd en er stond een grote kachel. In de provisiekastjes lag vetvrij bloemetjespapier op de planken en in de raamkozijnen lagen dode vliegen en stof. Overal was stof.

Lasse had gehoopt dat mama Het Pleintje zou houden als vakantiehuis zodat het op die manier kon worden doorgegeven aan de volgende generaties. Maar mama zei kordaat dat ze nooit haar vrije tijd zou willen doorbrengen op die verdrietige plek. Dus nu werd Het Pleintje leeggemaakt en verlaten, misschien voorgoed. Alise begreep best dat Lasse het pijnlijk vond om zijn boerderij te verkopen. Voor haar was Het Pleintje een plek met weiden vol bloemen, zon en vrijheid, met een zwemvijver in het bos en frambozen achter de hooischuur.

Ze was er nog nooit in de herfst geweest. De vochtige novemberlucht hing als een dun laagje suikerglazuur over het landschap, vervlakte alle kleuren en maakte de omgeving geheimzinnig en onbekend.

Alise zat in het lege raamkozijn van de keuken en keek naar mama en haar opa, die ongeveer alles weggooiden wat er in huis was. Spullen die ze ooit hadden gebruikt en gekoesterd, belandden nu op een grote hoop in een blauwe container. Die zou weggevoerd worden naar een vuilnisbelt. De geïrriteerde stem van Lasse drong door het gesloten raam naar binnen. Telkens als mama erop aandrong om iets te bewaren als herinnering, werd hij lastig. Hij noemde het bejaardenhuis de wachtkamer van de dood en zei dat er in een lijkkleed geen zakken zaten. Dus waar moest hij dan blijven met die oude rommel?

Alise zag hoe mama in elkaar kromp op het erf. Mama, die altijd zo vastberaden en sterk was, die overal een oplossing voor wist, veranderde in een klein, twijfelend meisje als ze bij haar vader was. Zag Lasse dat dan niet? Snapte hij niet dat mama hem alleen maar probeerde te helpen? Of was hij gewoon een stuurse, ondankbare man?

Mama had zich suf gezocht naar een goed bejaardenhuis bij hen in de buurt, zodat ze Lasse vaak konden bezoeken en hij zich niet eenzaam zou voelen. Dat was haar plicht, zei mama. Dat betekende dus dat ze het niet deed omdat ze er zin in had, maar omdat ze vond dat ze moest.

Lasse wilde niet verhuizen, maar door die hartproblemen had hij geen keuze meer. Mama vond het niet leuk om hem te helpen verhuizen, maar door haar plichtsgevoel had zij geen andere keuze.

En Alise zelf? Zij wilde ook het liefst dat Lasse bleef waar hij was. Daarvoor had ze haar eigen reden: ze had immers gelogen. Ze had verteld dat haar opa een reusachtige paardenfokkerij bezat, waar ze op elk paard dat ze wilde, kon gaan rijden. Ze had opgeschept dat niemand kon paardrijden zoals Lasse. Een domme leugen. Een leugen die helemaal niet nodig was. Een leugen die klein begon en in de loop der jaren steeds groeide. En nu was hij zo groot dat hij de vriendschap met haar beste vriendin Rebekka zou stukmaken als Alise de waarheid vertelde.

Eigenlijk lag het ook een beetje aan Rebekka. Ze was half Chileense en tijdens de zomervakantie ging ze altijd bij de Chileense familie van haar moeder op bezoek. Chili leek Alise het meest avontuurlijke land ter wereld, want Rebekka beleefde er altijd zo veel ongelooflijke dingen. Tja, als je dan aankwam met een verhaal over frambozen achter de hooischuur, ging je natuurlijk af als een gieter.

Daarom begon Alise haar verhalen een beetje aan te dikken, zodat zij tenminste ook iets boeiends te vertellen had. En zo stond Alise nu algemeen bekend als een paardenfreak en een goede paardrijdster, terwijl de waarheid juist het tegendeel was. Want als Alise ergens bang voor was, dan waren het paarden. En dat kwam door haar moeder, die tussen de paarden was opgegroeid en goed wist waar ze het over had. Honderden keren had ze Alise verteld dat paarden levensgevaarlijk waren!

Dus Alise had een goede reden om te wensen dat Lasse bleef waar hij was. Maar aangezien dat niet kon, hoopte ze dat er zo vlug mogelijk een kamer in het bejaardenhuis vrijkwam. Zodat ze Lasse niet te lang bij hen thuis in de flat hoefde te verdragen.

*

De motregen tekende bruine modderstrepen op de stoffige autoruiten. Alise had haar tijdschrift al twee keer gelezen, alle bomen rond Het Pleintje vier keer geteld (34 stuks), alle beslagen ruiten vol getekend en drie sms'jes gestuurd naar Rebekka.

Zowel mama als Lasse was de oeverloze discussies over weggooien of bewaren meer dan beu. Uiteindelijk was Lasse briesend van woede uit het opruimavontuur gestapt, zodat mama en Alise het samen moesten klaren.

Nu was het huis leeg en de auto volgestouwd, maar Lasse bleef weg.

Mama legde met een vermoeid gebaar de krant opzij en leunde op het stuur. 'Ik kan het niet... ik heb geen energie meer om met hem te ruziën.'

Alise kreunde. Ze wist dat Lasse nooit de eerste stap zou zetten! 'Blijven we hier dan gewoon wachten?'

'We zullen wel moeten', zei mama. 'Tenzij jij...' Ze wierp een blik op Alise.

Alise huiverde. Ze had geen zin om door Lasse afgeblaft te worden. Trouwens, ze wisten niet eens of hij nog wel in de hooischuur zat. Het was minstens twee uur geleden dat hij daar was binnengestapt. Mama keek naar Alise met een blik van 'wees eens aardig' en 'doe dat alsjeblieft voor mij, lieve dochter'.

Als Alise weigerde, zouden ze stomweg in de auto blijven zitten. En dat had al lang genoeg geduurd. Er bestond natuurlijk een piepklein kansje dat ze in de schuur keek en hem niet vond...

'Oké, ik zal gaan. En als hij er niet is – rijden we dan weg?'

Mama keek op haar horloge en knikte. Ze had nog een vergadering vanmiddag en wilde daar op tijd zijn.

Alise probeerde door een kier in de schuur te gluren, maar de spleet tussen de deur en de muur was te klein om iets te zien. Heel voorzichtig deed ze de deur open. De scharnieren knarsten oorverdovend en deden Alise denken aan een schreeuw uit een griezelfilm. Ze wierp een schichtige blik achterom. In de auto stak mama glimlachend haar duim omhoog. Toch geweldig hoe blij ze nu was.

Alise bleef voor de open deur staan en wachtte tot haar ogen wat aan het duister gewend waren. De schuur leek net een omgekeerde wereld. De grove houtvloer was leeg en netjes geveegd, terwijl aan het dak allerlei sleeën en oude maaimachines hingen, in spinnenwebben verpakt. Het middaglicht drong tussen de planken van de muren naar binnen en verspreidde zich in lange repen vol dansende stofjes over de schuur.

'Hallo?'

Alises stem werd meteen door de duisternis opgeslokt.

'Is hier iemand?'

Er kwam geen antwoord. Ze deed een paar stappen vooruit in de schuur. Een kleine luchtverplaatsing deed haar omkijken. Een lange lichtreep bewoog. Hij golfde en draaide alsof hij een levend wezen was. Alise deinsde met bange, stuntelige bewegingen terug. Haar hiel bleef achter een losse plank haken, zodat ze haar evenwicht verloor en achteroverviel.

'Als je vaker was gekomen, dan wist je precies op welke plekken je veilig je voeten kon zetten.'

Dat was Lasse. Zijn stem kwam van dezelfde kant als waar ze de beweging had gezien. Ze zag dat hij een sigaret rookte. Alise voelde haar angst overgaan in boosheid. Waarom zat hij daar in godsnaam zonder iets te zeggen? Vond hij het zo leuk om haar op die manier te laten schrikken? Ze zou hem in elk geval niet alle pret gunnen.

'Zei jij niet dat het een onvergeeflijke misdaad was om in een paardenstal te roken?' vroeg ze rustiger dan ze zich voelde.

Lasse keek haar scherp aan. Hij nam een trek van zijn sigaret en hoestte voordat hij haar een kort antwoord gaf.

'Zie jij misschien paarden staan?'

'Eigenlijk niet. Maar wat doe je hier dan?'

Lasse hoestte opnieuw en zijn ademhaling ging onregelmatig.

'Dit was vroeger de box van Trigger', zei hij met een diepe zucht.

Alise knikte. Dat wist ze.

'Dat paard kon mij verdomme echt laten vliegen, Alise. Twee vijfentwintig, recht omhoog!'

Lasse zuchtte weer, iets zachter nu.

'Hij was als Pegasus, het gevleugelde paard... heb ik je ooit over Pegasus verteld?'

'Elke zomer.'

Lieve help, hij zou toch niet aan dat verhaal beginnen?

'Lasse? Mama wacht op ons.'

'Oh ja...?'

Toen Lasse langzaam uit de box van Trigger kwam, leek dat de zwaarste opdracht uit zijn leven. Maar zodra hij overeind stond, liep hij in één ruk de schuur uit. Ook toen ze van het erf over de smalle weg reden, keek hij niet één keer om. En evenmin toen ze langs het hek op de hoofdweg draaiden. Hij zat met stramme rug en opgeheven hoofd stug voor zich uit te staren. Dwars over zijn borst, als een erelint, droeg hij de oude halster van Trigger.

2.

Kreunend kroop Lasse uit de auto. Alise hoorde hem mopperen terwijl hij zich strekte. Toen keek hij met een doffe blik om zich heen.

'Het is hier verdomme nog lelijker dan ik me herinner', zei hij met vermoeide stem.

Het was het eerste wat Lasse zei sinds ze van de boerderij waren weggereden. Hij had het over de woonblokken van Blystad, een heel gewone voorstad zoals zo veel andere voorsteden. Met hoge en lage woonblokken, een klein winkelcentrum, een café en een school. Verder waren er nog een paar platgetrapte grasvelden, een speelplein met schommels van autobanden, een hobbelige glijbaan en een klein sportterrein met een basketbal- en een tennisveld waar niemand de laatste tien jaar nog iets aan had gedaan.

'Ik begrijp niet hoe jij je kinderen zo kunt laten opgroeien', ging Lasse wrang verder. 'Zelfs broedkippen zitten gezelliger.'

Mama was duidelijk van plan om de stemming erin te houden. Ze antwoordde luchtig dat ze het er in elk geval naar hun zin hadden.

Alise haalde haar tas uit de auto en liep alvast voorop naar het flatgebouw. Ze wilde absoluut niet samen met die knorrepot gezien worden. De conciërge, die bladeren harkte onder de enige boom voor het flatgebouw, keek giftig. Hij had blijkbaar gehoord wat Lasse zei en voelde zich persoonlijk geraakt.

Voordat Alise veilig in de hal kon wegglippen, riep iemand haar naam. Rebekka! Waarom net nu? Alise zwaaide vluchtig en gooide zich met haar volle gewicht tegen de logge deur, in de hoop dat hij daardoor sneller open zou gaan.

'Wacht even!'

Rebekka liet zich niet zo vlug afschepen. Als Alise naar binnen ging, zou ze gewoon volgen, wat Alise op een andere dag heel leuk zou vinden. Ze kon beter bij de deur op haar wachten. Lasse en mama waren net binnen toen Rebekka op haar oude, zwartgeverfde damesfiets kwam aangesjeesd.

Rebekka leek op een nieuwsgierig kraaienjong met haar dikke, zwarte haar en vinnige oogjes. Ze droeg zwarte, afgedragen kleren en laarsjes. Om haar hals had ze een zwart-witte Palestijnse sjaal gewikkeld. Rebekka was een zoekende ziel, zei mama, maar zelf omschreef ze zich gewoon als een solidair mens. Alle familieleden van Rebekka in Chili waren op de een of andere manier politiek actief, dus dat was waarschijnlijk aangeboren.

'Was dat je opa?' vroeg Rebekka benieuwd.

Alise knikte.

'Die van de paarden?'

Alise knikte opnieuw, hoewel ze vond dat ze beter nee kon zeggen. Maar dat werd te ingewikkeld. Dus zei ze ja en ze voegde eraan toe dat ze naar boven moest om te helpen.

'Hé, wacht! Mag ik hem geen gedag zeggen?'

'Later misschien', antwoordde Alise ontwijkend. 'Hij is te moe.'

Alise ging naar binnen en Rebekka, met haar fiets tussen haar benen, moest haar laten gaan. Maar Rebekka riep haar na, zodat het weergalmde in de hal: 'En de paarden? Wie let er nu op de paarden?'

'Iemand van de buren waarschijnlijk. Op het platteland, zie je... helpt iedereen elkaar...'

Waarom vertelde ze niet gewoon de waarheid? Nu had ze de kans! Nee, in plaats daarvan ging ze door met liegen en maakte ze de situatie voor zichzelf hoe langer hoe moeilijker. Eén ding was duidelijk: Lasse en Rebekka mochten elkaar nooit ontmoeten!

Toen Alise voor haar kamer stond, kreeg ze de deur niet open. Het leek alsof er aan de andere kant iets in de weg stond. Ze duwde heel hard tegen de deur en ja, er stond iets in de weg: Lasses koffer. Lasse zelf lag met zijn jas aan op haar bed te slapen. Alise rende naar mama in de keuken. Ze was zo woest omdat niemand haar mening had gevraagd, dat het haar niets kon schelen of haar stem hard klonk. Hoe durfde mama zomaar haar kamer weg te geven! Hem daar laten wonen – in haar kamer – in haar bed! Hij, met zijn smerige stank van stal en boerderij en...

Mama probeerde haar geschrokken tot bedaren te brengen, maar Alise was niet te stoppen. Waarom gaf mama hem verdorie niet de kamer van Jacob! Opeens zag Alise dat mama's gezichtsuitdrukking veranderde en dat haar wangen rood werden. Lasse was waarschijnlijk opgedoken, dat snapte Alise zonder om te kijken. Ze hield haar blik strak op mama gericht en zweeg. Opeens schaamde ze zich verschrikkelijk. Ze draaide zich langzaam om. Daar stond hij inderdaad, vlak achter haar in de gang. Met zijn jas over zijn arm en zijn koffer in de hand.

'Ik ga naar een hotel', zei hij nors.

'Nee, papa, we...'

Lasse keek langs hen heen en haalde diep adem door zijn neus. Alise wist dat ze iets moest zeggen. Ze wist dat ze te ver was gegaan.

'Lasse... luister... ik bedoelde niet dat...' stotterde ze.

Lasse keek haar recht aan.

'Ik kan bij Jacob slapen', ging Alise verder. 'Bij Jacob, ik... dat gaat best. Sorry?'

Lasse leek na te denken of hij een verontschuldiging voldoende vond. Er glinsterde iets in zijn ooghoeken. Toen zette hij zijn koffer neer en legde zijn jas erbovenop. Mama en Alise keken hem afwachtend aan. Hij staarde net zo afwachtend terug.

'Ja?'

Alise en mama glimlachten voorzichtig. Ja, wat nu?

'Wordt er hier nog iets opgediend of is het de bedoeling dat ik sterf van de honger?'

'Ja... ja, natuurlijk, we moeten nog eten!' zei mama, opgelucht dat een nieuwe ramp op het nippertje was afgewend.

Terwijl ze brood aten en melk dronken, kwamen papa en Jacob thuis. Papa keek met die typische, half dichtgeknepen ogen van metrobestuurders die een aantal jaren onder de grond werken. Met zijn bleke huid en zijn lichtblauwe uniform gaf hij altijd een vermoeide en krachteloze indruk.

'Ben je ziek, Viktor?' Lasse tuurde aandachtig naar zijn schoonzoon.

Papa keek verrast op.

'Ik? Nee...' Hij lachte een beetje. 'Was jij het niet die ziek was?'

Mama dronk in één teug haar melkglas leeg en stopte haar laatste stukje brood in haar mond. Ze had net ontdekt dat ze zich moest haasten als ze op tijd op de vergadering wilde zijn. Gejaagd deelde ze instructies uit. Alise moest vóór vier uur met Lasse mee naar het bejaardenhuis en Lasse moest de papieren van zijn huisarts niet vergeten. Papa moest ervoor zorgen dat iedereen deed wat hij moest doen. Papa leek er door die opdracht plotseling nog bleker uit te zien. Mama bleef maar doorratelen en papa duwde haar zacht door de deur naar buiten.

'We redden ons wel, Tone. Rustig, toe. Ga jij nou maar naar je vergadering.'

Toen mama weg was, leunde Alise tegen de muur in de gang en liet ze zich op haar hurken zakken. Alleen op pad met die knorrepot! Dat was wel het laatste waar ze zin in had. Lasse was samen met Jacob in de keuken, maar Alise durfde niet meer hardop te zeggen wat ze dacht. Ze gebaarde naar papa dat ze niets kon vertellen en verborg haar hoofd in haar armen.

'Een beetje geduld, meisje. Het gaat voorbij', zei hij.

Dat was papa's oplossing voor elk probleem.

Even later liepen Lasse en Alise door de lange betonnen tunnel naar de metro. Ze kwamen net op het perron toen de trein binnensuisde. Alise wenkte Lasse.

'Is dat onze trein? Nu al?' Lasse zag er plotseling onzeker uit.

'Er is hier maar één spoor', lachte Alise. 'We moeten er het volgende station uit.'

Lasse mompelde dat hij dat wel wist en gewoon wilde zien of Alise op de hoogte was.

Ze gingen zitten in een lege coupé voor vier. De bovenverlichting flikkerde toen het treinstel in de rots verdween. Opeens veranderden alle ramen in grote, donkere spiegels. Het was vreemd om Lasse in deze omgeving te zien. De voorbijglijdende muren en de versleten stoelen pasten niet bij hem. De getaande Lasse van een meter negentig hoorde hier niet, hij was buitenmaats. Het leek wel of er een beer op de stoel zat, dacht Alise.

*

Wat een gezellige kennismaking met het bejaardenhuis moest worden, draaide uit op een totale mislukking. De directrice, een vrouw van mama's leeftijd met fladderende kleren en opgestoken haar, deed het al verkeerd zodra ze begon te praten. Ze sprak Lasse aan met een zoete, opgetogen toon, die Alise deed denken aan tante Eva van de kleuterschool.

Terwijl de directrice als een lieflijk riviertje verder kabbelde over de hobbyclub en de weefgetouwen en niet roken en rauwkost bij het middageten, zag Alise dat Lasses ogen een gevaarlijke glans kregen. Hij gaf geen enkel commentaar op alle leuke dingen die de directrice hem liet zien. Alise probeerde de stemming wat minder stroef te maken door een paar vrolijke opmerkingen.

'Dat wordt best leuk, Lasse!' of: 'Dit lijkt me echt iets voor jou, jij bent toch graag bezig?' Maar Lasse keek met een donkere blik om zich heen en negeerde haar totaal. En toen de directrice begon met 'wij' zeggen in plaats van 'u', wist Alise dat het niet meer goed kwam.

'Hebben we eraan gedacht om onze papieren mee te brengen?' vroeg de directrice, haar hoofd aandoenlijk schuin.

Alise voelde de verpulverende druk van de explosie lang voordat de klap kwam.

'Onze papieren?' herhaalde Lasse poeslief.

'Mmm?' zei de directrice.

'Mmm?' zei Lasse.

Hij haalde de envelop met de papieren uit zijn zak en scheurde die langzaam doormidden. En daarna nog een keer. Toen smeet hij de vier stukken in de uitgestrekte hand van de hevig geschrokken directrice.

'Daar heb je jóúw papieren!'

Het duurde even voordat Alise hem op straat had ingehaald. Zijn blik trof haar als een kaakslag. Ze wist waarom hij kwaad was. Hij kon het idee niet verdragen dat hij opgesloten zou zitten in zo'n droevige, onpersoonlijke kamer.

'En jij! Jij zat maar met haar mee te praten!' "Ach, zo gezellig... Ja, dat is echt fijn voor je..." Lasse sprak met een aanstellerig stemmetje.

Alise voelde dat zij ook kwaad werd.

'Niet iedereen heeft het geluk om in zo'n mooi tehuis te mogen wonen! Ze organiseren een heleboel activiteiten en... er zijn veel mensen van jouw leeftijd en... en... het is bijna zoals op zomerkamp!'

Lasse staarde haar nog steeds woedend aan. Toen zuchtte hij en hij keek een andere kant uit.

'Jij wilt alleen maar zo vlug mogelijk je kamer terug!'

Alise werd rood.

‘Wees gerust’, ging Lasse verder. ‘Je krijgt hem binnenkort terug. Misschien vandaag zelfs, als je je mond maar houdt over dit kleine... eh, voorval.’

Alise had niet bepaald zin in een geheim met Lasse, maar een discussie leek haar nog minder aanlokkelijk. Daarom knikte ze.

‘Oké. Maar moet mama het niet weten? Ik bedoel, als je gewoon bij ons blijft wonen en niet verhuist, dan vermoedt ze toch dat er iets aan de hand is?’

Daar antwoordde Lasse niet op. Zijn gezicht stond vol harde, boze lijnen en hij bestudeerde ingespannen de grond voor zijn voeten.

‘Doe gewoon wat ik zeg, dan krijg jij je kamer terug. Is dat niet voldoende?’

Alise was tevreden met het idee dat ze haar kamer terug zou krijgen, tot ze zag waar Lasse wilde gaan slapen.

‘Wát? Op het balkon? Mama, zeg dat hij dat niet mag. Iedereen kan hem zien!’

Jacob vond het fantastisch. Hij sprong op en neer op Lasses matras en wilde ook buiten slapen. Mama probeerde Lasse van zijn plan af te brengen door hem te wijzen op zijn hoest en de vervuilde lucht en alles wat ze maar kon bedenken. Maar Lasse schikte zich in zijn lot en stak een sigaret aan. Nu miste hij alleen nog zijn radio, zei hij, en dan was het bijna net zoals vroeger, toen hij de hele zomer buiten sliep.

Papa haalde een oude reisradio en keek zelfs een beetje jaloers toen Lasse hem aanzette en er zachte muziek op het balkon klonk. Achter haar raam kon Alise zien hoe Lasse haar broertje omhelsde en hem goedenacht wenste. Toen Lasse weer alleen buiten was, zette hij de radio harder en weergalmde de muziek tussen de woonblokken. Zag hij dan niet dat vanuit alle flats honderden nieuwsgierige ogen naar hem keken? Of kon het hem niets schelen? Alise trok zich beschaamd in haar kamer terug. Hoe sneller ze hem in het bejaardenhuis kregen, hoe beter.

3.

Alise en Rebekka fietsten langs de lange, glooiende heuvel naar school. Rebekka had een vage afdruk van lipstick op haar wang en een piepklein staartje in haar haren.

'Slaapt hij buiten? Cool!'

Rebekka leek onder de indruk. Alise keek wantrouwig opzij om te zien of ze het meende.

'In Chili slapen ze op het dak!' zei Rebekka.

'Op het dak?' lachte Alise ongelovig. 'Waarom dan?'

Rebekka haalde haar schouders op.

'Weet ik niet. Misschien omdat ze dat leuker vinden?'

Nu lachten ze allebei. Opeens leek het Alise geen probleem meer dat Lasse buiten sliep.

'Zeg, ga je mee naar de demonstratie vandaag?' vroeg Rebekka.

'Hè?' grijnsde Alise.

'Ja, iets voor... of nee, tegen... iets van bomen redden of zo. Whoa', geeuwde Rebekka. 'Regenbomen.'

'Het regenwoud, misschien?' gniffelde Alise.

'Ja... dát was het. Voor het regenwoud.'

'Vast een demonstratie die niet is toegestaan. Dan komt de politie met honden en paarden en...'

'Poeh! Alise, je bent leuk, maar soms... een ongelofelijke schijterd!'

Rebekka geeuwde opnieuw uitgebreid.

'Een schijterd?' protesteerde Alise heftig. 'Zou een schijterd paardrijden, denk je? Nooit gehoord dat paardrijden alleen voor durvers is?'

De woorden ontsnapten haar onbewust. Ze was zo gewend om telkens als ze zichzelf moest bewijzen het paardrijden erbij te halen, dat het vanzelf kwam.

Ze zwenkten het smalle pad tussen de tennisbaan en het omheinde basketbalveld op. Het was zo nauw, dat er amper plaats was voor een fietser.

Alise hoorde het tussen de woonblokken voordat ze iets zag: een schallend geluid van ijzer op asfalt, dat even onheilspellend klonk als een reeks geweerschoten. En toen ze het zag, was het zo onwerkelijk dat het een paar seconden duurde voordat ze besefte dat het echt was. Rebekka stond net als zij aan de grond genageld en tuurde met open mond in de verte. Kostbare seconden gingen verloren voordat ze allebei doorhadden dat ze klem zaten in het nauwe pad terwijl er een reusachtig paard in razende vaart op hen toestormde!

'Hij valt aan!' schreeuwde Rebekka doodsbang. 'Alise, doe iets!'

Alise staarde ontzet naar het grote dier, dat recht op hen af galoppeerde.

'Alise! Jij kunt toch alles met paarden!'

In een plotselinge beweging gooide Rebekka haar fiets opzij en stoof ze naar de omheining om het basketbalveld. 'Alise!'

Alise was een ogenblik verlamd van angst. Nu gooide ook zij zich tegen de omheining. Maar terwijl Rebekka bijna boven was, bleef Alise beneden aan de omheining krabbelen als een schildpad. Ze deed haar ogen dicht en gilde, er vast van overtuigd dat ze het volgende ogenblik vertrapt zou worden. Toen voelde ze dat de omheining achteroverhelde. Eerst dacht ze dat het door de angst kwam dat de wereld ronddraaide, maar toen ontdekte ze dat ze in de deur hing! Door haar gewicht zwaaide de deur open en werd de doorgang op het pad versperd. Nog steeds met gesloten ogen hoorde Alise het paard hinniken en uitglijden op het grind. Het volgende ogenblik streek het dier langs haar heen. Het was zo dichtbij dat ze de warmte van zijn grote lichaam kon voelen. Het geluid van de galopperende hoeven dreunde als een lange donderslag in haar oren.

'Doe dicht!' Rebekka's stem kwam van heel ver weg. 'Doe die deur dicht!'

Alise was zo verkrampt dat het een geweldige inspanning vergde om haar ogen te openen. Slechts een paar meter verderop zag ze het paard steigeren en ronddraaien op het lege asfalt van het basketbalveld. Het beest was waanzinnig groot en vreselijk vuil. Zijn grauwe vacht zat onder de modder.

Rebekka snoof nerveus.

'Alise... wat denk je... moeten we de dierenbescherming bellen?'

Alise tuurde omhoog naar Rebekka, die veilig boven op de omheining troonde. Het was alsof haar lichaam plotseling uit een droom ontwaakte. Met een kordaat gebaar liet ze de deur van de omheining los en duwde ze hem stevig dicht. Rebekka klom naar beneden en sprong naast Alise op de grond.

'Je hebt je paard, Alise! Goh, en wat voor een!'

Alise keek bang naar het grote dier, dat langs de omheining liep en een uitweg zocht. Ze huiverde toen het paard luid en uitdagend hinnikte.

'Het is vast van iemand', zei ze snel. 'En ze zijn hem aan het zoeken.'

Rebekka schudde optimistisch haar hoofd.

'Dat is helemaal niet zeker!'

'Natuurlijk is dat zeker! Ik ben ervan overtuigd dat ze binnen de kortste keren hier zullen zijn.'

Rebekka keek haar niet-begrijpend aan, maar gaf geen commentaar.

‘Trouwens, we moeten naar school!’ zei Alise.

Opeens greep Rebekka haar hardhandig bij haar arm.

‘Kijk naar zijn benen, Alise!’

Het paard stond een paar meter van hen vandaan en schraapte met zijn hoeven over het asfalt. Tussen de modder op zijn benen waren duidelijk bloedsporen te zien. Alises maag snoerde dicht en plotseling kwam er een vreselijke misselijkheid op. Ze voelde zich net zoals die keer toen er een halfdood vogeltje in de greppel lag en ze er vlug voorbijliep omdat ze het niet durfde vast te pakken.

‘Alise?’ Rebekka keek verwijtend. ‘Hallo?’

Wat zou ze zeggen? Nu ze wisten dat het paard gewond was, konden ze het niet zomaar achterlaten.

‘Ik weet het niet. Als een paard zo gestrest is, heeft het tijd nodig om weer kalm te worden’, probeerde ze. ‘Dan moet je het met rust laten.’

Maar dat was niet voldoende voor Rebekka.

‘Hoe lang ongeveer, denk je?’

Alise slikte. Ze wist niet wat ze moest zeggen.

‘Misschien tot na school?’

Alise pakte haar fiets en begon te lopen. Rebekka liep naast haar mee, met een blik vol onbegrip. Alise deed haar best om zo normaal mogelijk te kijken. Nu had ze de kans om de waarheid te vertellen, om toe te geven dat ze geen ervaring had met paarden. En dat ze dat ook nooit had gehad. Maar Rebekka was weer net een tikkeltje sneller.

‘Er is hier iets wat niet klopt’, zei ze koel. ‘Je hebt toch altijd gezegd dat je stapelgek bent op paarden... En nu loop je gewoon weg van dat dier, terwijl je ziet dat het gewond is?’

Daar ging haar kans! Nu kon ze het niet meer vertellen. Rebekka zou haar laten vallen als een baksteen.

‘Ik denk dat we de politie moeten bellen’, stelde ze daarom voor.

'Nee, geen politie! Ben je gek? Weet je niet dat het verboden is om dieren los te laten lopen? Ik heb in de krant gelezen dat ze loslopende dieren zonder pardon neerschieten.'

'Paarden ook?' vroeg Alise ongelovig.

'We mogen het risico niet nemen', besloot Rebekka. 'Wat doen we?'

Alise kon niet meteen iets bedenken. Ze wilde eerst Rebekka uit de buurt hebben en dan zou ze wel wat verzinnen.

'Zeg op school dat ik ziek ben', zei ze.

Rebekka's gezicht straalde.

'Yes! Of beter – nee, ik doe mee!'

'Nee, nee... eh... dat gaat niet', stotterde Alise. (Waarom kon ze verdorie niets beters bedenken?) 'Nee, want dan weten ze direct dat we spijbelen!'

'En dan?' Rebekka staarde haar aan.

Het was overduidelijk dat ze hier geen moment van wilde missen. Ze was natuurlijk benieuwd om te zien wat Alise zou doen.

'Iemand van ons tweeën moet naar school', zei Alise. 'Anders bellen ze naar huis om te vragen waar we zijn.'

Rebekka was niet bang voor straf of huisarrest en hield koppig vol dat ze wilde blijven. Alise zei uiteindelijk dat ze weigerde iets te doen als Rebekka haar afwezigheid op school niet wilde dekken. Toen gaf Rebekka toe, tegen haar zin. En op voorwaarde dat Alise beloofde haar een berichtje te sturen zodra er iets gebeurde.

'Zeg dat ik bij de tandarts ben, oké?' Alise draaide haar fiets snel om en ging op het zadel zitten. 'Ja, de tandarts is een goed idee', herhaalde ze. 'Zeg dat!'

4.

Alise fietste langzaam terug naar het basketbalveld. Ze had hier helemaal geen zin in. Wat moest zíj verdorie met dat grote paard?

Wie was eigenlijk verantwoordelijk als er een paard op hol sloeg? Moest ze toch de politie bellen? Ze greep haar mobieltje en keek naar de toetsen. Wat was het nummer van de politie? Ze herinnerde het zich niet. 911? Nee, dat was van de televisie. Waarom wist ze het niet? Iedereen kende toch het nummer van de politie! Misschien kon ze een sms'je naar de inlichtingendienst sturen? Maar als Rebekka gelijk had met die loslopende dieren, tja...

Op dat ogenblik hoorde ze het paard luid en schril hinniken op het basketbalveld. De galmende echo tussen de woonblokken gaf haar kippenvel. Stel je voor dat er iets gebeurd was? Dat het paard zich verwond had? Het kon uitglijden op het gladde asfalt of zich openhalen aan de verroeste omheining of... Na een nieuwe kreet van het paard volgde er rauw jongensgelach. Nee...! Stel je voor dat Hockey het paard had ontdekt!

Hockey was een paar jaar ouder dan Alise en zo'n type voor wie je de straat overstak om niet langs hem te hoeven. Alise was doodsbang voor hem sinds ze samen op school zaten. Vooral in de winter, wanneer hij op de loer lag met gemeen harde sneeuwballen waarin hij ijs verstopte. Op school had Alise al vaker gezien dat hij zure melk over kinderen kieperde die hij niet kon hebben. Hockey was gewoon een rotjoch dat ze altijd op het matje riepen als er ergens iets werd vernield of als er herrie was. En meestal klopte het nog ook.

Als het inderdaad Hockey was die het arme paard had ontdekt, was dat het ergste wat kon gebeuren. Alise kroop tussen het struikgewas bij het basketbalveld en zag Hockey samen met Eirik, die altijd in zijn buurt was, boven op de omheining zitten.

'Zie je 't, joh? Hij wil met de bal spel'n!' brulde Hockey.

Hij wierp een grote oranje basketbal voor de benen van het paard, zodat het arme dier achteruitdeinsde en weggleed. Het scheelde niet veel of het paard ging onderuit. Eirik lachte schel. Hij lachte om ongeveer alles wat Hockey zei.

'Gooi die van jou! We zull'n 's zien of ie die lekkerder vindt!'

Hockey praatte tegen iemand die Alise niet kon zien. Ze kroop nog wat verder en duwde een paar takken opzij. Sebben! Wat deed die daar? Sebben was toch een leuke jongen! Op knappe Sebben was zowel Alise als Rebekka al jarenlang verliefd, om de beurt en soms zelfs tegelijk. Was Sebben bevriend met Hockey? Nee toch?

'Hèhè, dat duurt z'n tijd, Sebben!' hitste Hockey hem op. 'Ben je 'n mietje, of wat?'

Even later gooide Sebben zijn rode bal. Het paard steigerde en schopte tegen de draad van de omheining. De jongens zwiepten gevaarlijk heen en weer en brulden van de spanning.

Nu tevoorschijn komen betekende hetzelfde als zelfmoord plegen. Alise kroop muisstil achteruit naar haar fiets. Ze moest hulp halen!

Het kantoor van Tone was in hetzelfde gebouw als het winkelcentrum. Toen Alise jonger was, wipte ze daar bijna elke dag na school even langs. Maar nu was ze groot en mama had het erg druk met haar nieuwe baan als personeelschef, zodat Alise er bijna nooit meer kwam.

‘Een paard!’ Mama praatte met een stift tussen haar tanden.

Ze glimlachte verontschuldigend naar de anderen in de vergaderruimte en duwde Alise voor zich uit de gang in.

‘Wat heb jij met een paard te maken?’

Alise vertelde vlug wat er gebeurd was, maar mama liet haar niet eens uitpraten.

‘Zie je nou? Wat heb ik je altijd gezegd? Paarden zijn levensgevaarlijk!’

‘Maar mama... het kwam zomaar uit het niets aangerend en... Hockey en... en...’

Mama onderbrak haar resoluut.

‘Vraag Trine bij de receptie om de politie te bellen en zorg dat je als de bliksem op school komt!’

‘Maar mama’, protesteerde Alise. ‘Er bestaat toch een wet in verband met loslopende dieren? Worden die niet neergeschoten?’

Mama sperde haar ogen open en antwoordde op een gevaarlijk vriendelijke manier.

‘Ga naar Trine. Nu!’

Alise bleef bij de receptie wachten tot Trine klaar was met bellen.

‘Hallo?’ Trine staarde verbaasd naar de telefoon. ‘Ze hebben opgehangen!’

‘Probeer het nog een keer’, smeekte Alise.

Trine was teleurgesteld.

‘Ze geloofden me niet. Het is me ook wat, een paard op het basketbalveld! Je moet toch eerlijk toegeven dat het een beetje vreemd klinkt.’

Trine keek haar onderzoekend aan, alsof ze eraan twijfelde of Alise de waarheid sprak.

‘Denk je dat ik lieg?’

Trine haalde haar schouders op.

Een ogenblik dacht Alise om het er maar bij te laten zitten. Ze had toch gedaan wat ze kon? Kon ze niet beter gewoon naar school fietsen? Maar het beeld van Hockey en zijn bende bij het paard op het basketbalveld kon ze niet vergeten. Ze mocht niet toestaan dat het arme dier zo gemeen werd gepest.

Ze moest hulp halen. Maar bij wie? Alise liep het kantoor uit en dacht na. Opeens wist ze het: Lasse! Ze moest het aan Lasse vragen. Hij had vroeger paarden gehad en hij wist er alles van, hij kon helpen. Ze duwde de deur open en fietste zo snel ze kon de heuvel op naar huis.

5.

Alise klom langzaam de trappen naar hun flat op. Ze had zich in het zweet gefietst op de helling, maar nu wist ze opeens niet zeker of Lasse wel wilde helpen. Hij was gisteren in het bejaardenhuis zo boos op haar geweest en dan was er nog dat stomme gedoe met haar kamer. Eigenlijk had hij geen enkele reden om iets voor haar te doen.

Toen ze de deur van de flat opendeed, was het doodstil. Zou Lasse weg zijn? Alise ging de woonkamer binnen. Daar zat Lasse in een leunstoel, star als een standbeeld. Hij had zijn jas aan en zijn koffers stonden gepakt naast hem op de grond.

'Lasse?'

Hij reageerde niet, keek niet eens haar richting uit.

'Ik weet dat we de laatste dagen niet de beste vrienden waren, maar wil je zo vriendelijk zijn om even naar me te luisteren?'

Lasse zei geen woord. Hij bleef onbeweeglijk zitten waar hij zat. Alise werd er ongemakkelijk van. Waarom antwoordde hij niet?

'Er is hier beneden een paard', zei ze.

Eindelijk wierp hij een vluchtige blik op haar.

'Op het basketbalveld, Lasse. Het kwam zomaar aangerend, dus heb ik het daar opgesloten.'

Lasse trok zijn wenkbrauwen op.

'En nu zitten er een paar vreselijk gemene jongens. Ze plagen het paard, gooien er basketballen naar en...'

Lasse onderbrak haar.

'Als je erin bent geslaagd om het beest daar op te sluiten, kun je de rest ook wel afhandelen.'

Hij keek op zijn horloge, stond op, nam een koffer in elke hand en liep de flat uit. Alise volgde hem langzaam naar de hal.

'Lasse, wat is er?'

Hij drukte op de liftknop.

'Ik ga op... zomerkamp. Noemde je het niet zo? Borduren... mandjes vlechten. Je weet wel. Al die dingen.'

Lasse staarde met lege ogen naar de liftdeur. Waarom trok hij zich er niets van aan? Ze probeerde tot hem door te laten dringen dat hij de enige was die iets kon doen. De enige die iets van paarden wist. Ze probeerde hem uit te leggen dat het paard kansloos was tegen Hockey. Dat het nu misschien al gewond zou zijn. Maar het leek alsof ze tegen een muur praatte. Lasse sjouwde zijn koffers in de lift, ging erbij staan, drukte op de knop en verdween zonder een woord te zeggen.

Alise kon haar ogen nauwelijks geloven. Lasse had toch iets met paarden? Toen ze van Het Pleintje vertrokken, wilde hij niet uit de stal komen. Urenlang treurde hij in de box van een paard dat al jaren voordat zij werd geboren dood was. En nu...? Iedereen stond altijd en overal voor hem klaar. Zou hij domweg weigeren om voor één keer iets voor een ander te doen? Wat een egoïst!

'Ik had nooit gedacht dat jij een paard in de steek zou laten, Lasse!' riep Alise hem na.

De echo volgde de lift naar beneden in de schacht. Maar hij hoorde het niet. Of hij wilde het niet horen. Op de een of andere manier was ze er vast van overtuigd geweest dat hij met haar mee zou gaan. Dat hij meteen in actie zou komen. Dat hij verontwaardigd en woedend zou worden als hij hoorde dat er iemand een paard pestte. Ze kon bijna niet geloven dat hij alles zo onverschillig over zich heen liet komen. Wat moest ze nu doen? Ze had eigenlijk zin om in haar kamer op bed te gaan liggen en te doen alsof er niets was gebeurd. Maar dat kon niet. Ze moest kijken hoe het met het paard ging, of die rotjongens weg waren. Hadden die geen les?

Alise voelde de tranen prikken toen ze opnieuw naar het basketbalveld fietste. Maar ze veegde ze snel weg toen ze zag wat daar aan de gang was. Een grote verontwaardiging maakte zich van haar meester.

De jongens wierpen handenvol grind naar het paard. Het arme dier had geen enkele kans om de steentjesbui te ontwijken. Van alle kanten vlogen ze op hem af. Het paard hinnikte en steigerde en probeerde wanhopig uit de afgesloten ruimte te komen.

Zonder na te denken fietste Alise recht op de jongens af, brullend dat ze het paard met rust moesten laten. Ze hielden er inderdaad mee op en staarden haar verbaasd aan.

Eirik keek onzeker naar Hockey. Hoe moesten ze hierop reageren? Hockey kneep zijn ogen halfdicht en glimlachte scheef naar Alise.

'Gooi'n, mann'n! Ha, ha... De dier'nbescherming, ha, ha...'

Eirik begreep Hockeys antwoord als een signaal dat ze haar een beetje gingen jennen en hij barstte in luid gelach uit. Oh, wat haatte ze zijn mekkerende wisselstem!

'Bek dicht, Eirik!'

Hockey had blijkbaar andere plannen. Hij sprong van de omheining naar beneden en kwam langzaam op Alise af. Alise deinsde haast onmerkbaar achteruit en keek schichtig naar Sebben. Deed hij met hen mee? Sebben ontweek haar blik.

'Zooo... jij bent zeker 'n grote paard'nvriend...' ging Hockey verder.

Alise schudde haar hoofd.

'Zijn niet alle meid'n paard'ngek?!'

Het was meer een vaststelling dan een vraag. Met een plotselinge ruk trok Hockey de poort open.

'Rij er 's effe op!'

Alise trok zich doodsbang terug. Ze wist wat hij van plan was. Hij zou haar op het terrein duwen en dan de deur dichtgooien. Terwijl zij veilig vanachter de omheining toekeken, zou Alise waanzinnig van angst rondjes rennen op het basketbalveld. Wat een prachtig schouwspel zou ze hun op die manier bezorgen! En als topper zou Hockey haar door het paard laten doodtrappen.

'Kom, je vriendje wacht! Of ben je 'n beetje verleg'n? Doe het dan voor ons! Vooruit, rij'en!'

Eirik begon aan een nieuwe lachbui.

Dit zag er niet goed uit... ze moest maken dat ze wegkwam! Eirik had meteen door wat ze dacht, want hij sprong van de omheining en versperde de doorgang. Ze zat gevangen!

Alise wou net smeken om haar te laten gaan toen er iets gebeurde waardoor de jongens haar aanwezigheid vergaten. Op de weg achter hen reed een rood bestelwagentje langzaam maar doelbewust naar de fietsen van de jongens. Even later klonk het schurende geluid van verwrongen metaal en het gekraak van verbrijzeld glas. De jongens keken met wijd open mond toe hoe hun fietsen vakkundig vernield werden. Sebben sprong nu ook van de omheining en liep naar de anderen.

'Is dat niet de auto van de conciërge?' vroeg hij.

Hockey schudde zijn hoofd.

'Is niet de conciërge!'

Het was onmogelijk om te zien wie dan wel, want de auto zat vol rook. Maar de conciërge zat niet achter het stuur, daar was Alise het mee eens.

Het was... Lasse!

In een wolk van rook stapte hij uit de auto. Hij bleef wijdbeens staan en staarde met half dichtgeknepen ogen naar de jongens. Ze staarden ongerust terug. Wat was dat voor een geschifte vent? Eirik keek verwachtingsvol naar Hockey, maar die was helemaal de kluts kwijt. Die vent stond nog steeds met een nijdige blik naar hen te loeren. Het was niet duidelijk wat hij van plan was. Hockey wierp zijn hoofd achterover, een teken dat ze ervandoor gingen. De jongens liepen met een grote boog om Lasse heen en haalden hun fietswrakken op. Pas toen ze op een veilige afstand waren, durfde Hockey iets te roepen: 'Ouwe gek! Wacht maar 's af! Rotzak! Hier zul je nog spijt van krijge!'

Maar Lasse trok zich niets van de dreigingen aan. Hij keek met grote ogen naar het enorme, proestende dier op het basketbalveld. Alise liep naar Lasse toe.

'Je bent toch gekomen!'

Lasse glimlachte vaag zonder zijn ogen van het paard af te halen.

'Wat voor een paard... wat... voor een... ongelofelijk... mooi... paard.'

Lasses stem klonk zacht en vriendelijk, alsof hij tegen een klein kind praatte. 'Arme jongen... zo bang, zo bang...'

De lage, grijze wolken die de hele ochtend boven de stad hadden gehangen, begonnen hun lading te verliezen. Grote druppels vielen op Lasses hoofd en gleden in strepen langs zijn gezicht naar beneden. De regen kleurde het hobbelige asfalt van het basketbalveld pikzwart en als contrast zag het grijze paard er bijna wit uit. Lasse opende de deur in de omheining en ging zonder enige angst, maar wel behoedzaam, naar binnen.

'Pas op, hij is gevaarlijk!' riep Alise.

Lasse antwoordde niet. Hij hield alleen zijn armen afwerend in de lucht. Zonder dat Alise had gezien waar hij die vandaan had gehaald, stond Lasse plotseling met de halster van Trigger in zijn handen.

'Iiiiiahh!'

Lasse slingerde de halster achter het paard aan en joeg hem op de vlucht langs de omheining. Hij riep nog een keer 'iiiiiahh!' en hield het dier aan het draven. Het paard liep alsmaar rond, terwijl Lasse zelf in het midden van het basketbalveld met de halster zwaaide. Het paard bleef galopperen en Lasse dirigeerde deze vreemde show. Zeker een halfuur ging hij zo door. Het paard rende maar door, steeds maar rond, als in een trance. Na een tijdje hoefde Lasse slechts zijn arm met de halster te strekken, als herinnering. En soms liet hij het paard draaien en joeg hij het de andere kant uit.

'Zooo... zoooo, ja, jongen...' mompelde hij tegen het paard.

Het paard hield op met draven en stapte nu buigend om Lasse heen, maar met onzekere passen. In het midden van het basketbalveld draaide Lasse steeds langzamer om zijn as. Het paard volgde zijn tempo. Uiteindelijk stonden ze allebei stil. Lasse keek vriendelijk naar het kletsnatte paard, dat naar hem knikte en zich vooroverboog. Alise zag dat er iets tussen die twee aan de gang was. Een soort gesprek zonder woorden. Net zoals peuters elkaar een tijd kunnen aanstaren en dan opeens beginnen te lachen, te vechten of te spelen. Het paard boog voorover en wipte zijn hoofd op en neer terwijl het zich steeds dichter bij Lasse waagde. Zonder zijn ogen van het paard af te wenden, knielde Lasse op het natte asfalt neer. Nu boog Lasse zijn hoofd en zo bleef hij zitten. Waar was hij mee bezig? Het leek alsof hij aan het bidden was. Was hij echt aan het bidden?

Het paard stond nog steeds buigend bij de omheining, maar toen... Alise schreeuwde het bijna uit, maar kon zich net op tijd bedwingen. Het paard kwam met trillende benen, heel langzaam en aarzelend naar Lasse toe. Lasse hield nog steeds zijn blik op de grond gericht. Eerst joeg hij het paard rond tot het helemaal uitgeput was en nu wachtte hij blijkbaar tot het dier kwam aansjokken om hem te groeten? Die aanpak leek helemaal niet veilig. Wist Lasse waar hij mee bezig was of werd hij echt een beetje gek?

Maar het paard deed precies wat Lasse verwachtte. Het kwam langzaam op Lasse af, tot het vlak bij hem stond en toen snuffelde het dier zachtjes aan Lasses haar. Alise kon nauwelijks geloven wat ze zag. Was dat magie, een bezwering of zo? Nu kwam Lasse stram overeind. Hij klopte het paard voorzichtig op zijn voorhoofd. Daarna aaide hij het vriendelijk over zijn nek en gaf het vervolgens klopjes op zijn rug en zijn zij. Het paard stond doodstil en liet Lasse begaan. Eerst één kant, toen vooraan en vervolgens hetzelfde aan de andere kant. Toen Lasse klaar was, wreef hij het paard zacht over zijn voorhoofd en liet hij zich speels in zijn zij porren. Alise vond dat ze net twee oude vrienden leken. Maar toen deed Lasse weer iets merkwaardigs. Hij draaide zich om en ging weg. En... en dat was het allerleukste: het paard volgde hem. Alsof Lasse hem aan een onzichtbaar touw leidde. Lasse liep maar door, kriskras over het veld, met een zeer gelukkige uitdrukking op zijn gezicht. Ten slotte kwam hij naar Alise en vlak voor haar bleef hij staan. Hij keek haar aan met een glans in zijn ogen die ze er eerder nooit in had gezien. Die blik was iets nieuws. Er zat geen spot of stuursheid in, geen humor ten koste van anderen. Lasses ogen stonden glashelder. Ze straalden een enorme kracht uit, maar ook warmte en verlangen.

'Dit hier, Alise', zei hij zacht. 'Dit is mijn leven. Het enige dat ik kan.'

6.

De kleine boerderij lag aan de rand van het bos, ongeveer een kilometer van Blystad. Alise was nog nooit tot achteraan bij de stallen geweest, maar ze had de paarden zien grazen binnen de omheining langs de kant van de weg. Ze liep met kleine, haastige stappen voor Lasse en het paard uit. Door het sombere regenweer begon het al vroeg donker te worden en Alise werd bang telkens als ze een auto hoorde naderen. Stel je voor dat de auto hen niet zag. Stel je voor dat het paard zo verschrikkelijk schrok dat het weer wild en onbeheersbaar werd. Want als het weer begon te steigeren en te schoppen zoals vanochtend, dan kon Lasse het misschien niet in bedwang houden en zou het grote dier haar vertrappen. Alise voerde haar tempo nog wat op om hen op afstand te houden.

Bij elke stap die ze zette, sopte het water in haar joggingschoenen. Haar kleren klitten tegen haar lijf en de huid aan haar vingertoppen begon te verrimpelen, alsof ze te lang gezwommen had. Haar lippen voelden smal en hard aan en haar tanden klapperden. Ze was door en door verkleumd. Eindelijk zag ze het licht van de boerderij. Ze keek achterom naar Lasse en het paard en wees met haar arm naar de stal. Lasse zag haar niet. Hij en het paard liepen in dezelfde cadans: met grote, langzame passen en gebogen hals om het hoofd te beschutten tegen regen en wind.

'Daarginds is de boerderij. Het is niet ver meer!'

Alise moest roepen om door het geluid van de regen te komen. Lasse knikte dat hij het gehoord had.

Toen ze eindelijk het grindlaantje naar de boerderij op draaiden, kreeg Alise het opeens een beetje benauwd. Stel dat er niemand thuis was of dat ze werden weggejaagd? Ze had vandaag nog niet veel behulpzame mensen ontmoet. Maar hier was in elk geval een stal. Ze konden toch geen paard weigeren als ze een stal hadden?

'Hallo? Is hier iemand?'

De gang in de stal was duister en leeg.

'Een ogenblikje!' antwoordde een vrouwenstem, vlak boven Alises hoofd.

De paardenhoeven weerklonken hard op de betonvloer. Alise ging wat verder in de stal om niet naast het paard te hoeven staan.

'Wie is daar?'

Dat was de vrouwenstem weer. Op hetzelfde ogenblik ging het licht aan.

'Lieve God! Waar komen jullie vandaan?'

Boven op een ladder stond een kleine, slanke vrouw. Ze was iets jonger dan Lasse en hield een schroevendraaier in haar hand. Ze droeg ook een lampenkap, die ze probeerde in evenwicht te houden terwijl ze naar beneden kwam.

'Zijn jullie te voet gekomen? Door dit hondenweer?'

'Heb je soms een lege box?' vroeg Lasse.

Een waas van vochtige damp steeg op rond hem en het paard. Lasses haar plakte tegen zijn hoofd en zijn kleren waren doorweekt.

De vrouw voelde waarschijnlijk aan dat verdere vragen nog even konden wachten en wenkte hen. Wat dieper in de stal opende ze een deur naar een grote box met een dikke laag droog, geel zaagsel. Toen Lasse met het paard naar binnen ging, volgde de vrouw hem met een natuurlijke vanzelfsprekendheid.

'Wacht!' Lasse hield zijn hand afwerend op.

Op hetzelfde ogenblik steigerde het paard en schopte het met zijn voorpoten. De vrouw deinsde verrast achteruit.

'Oei, een beetje nijdig?'

Alise zag tot haar verbazing dat de vrouw geen moment bang was geweest, al werd ze op een haar na door de grote paardenhoeven tegen de grond gesmakt. Ze gaf Lasse een oude handdoek, waarmee hij het paard begon droog te wrijven. Het dier bewoog nerveus in de box. Alise zag dat zijn huid sidderde en dat zijn knieën een beetje trilden.

'Lasse zegt dat hij bang is', zei ze zacht tegen de vrouw. 'In de stad was hij helemaal wild. Voordat Lasse kwam, bedoel ik. Nadat ik hem had gevonden.'

De vrouw keek naar het paard en schudde haar hoofd. Ze zei dat ze dit dier nog niet eerder had gezien. Maar het was een knap beest, daar bestond geen twijfel over. De vrouw gaf Alise een hartelijke handdruk en zei dat ze Wenche heette. En dat ze ongeveer alle paarden uit de buurt kende. Er waren niet zo veel stallen rond de stad. Dit paard moest een heel eind hiervandaan komen.

Wenche en Alise volgden met hun ogen wat Lasse met zijn handen deed. Met klopjes en strelen kreeg Lasse het paard rustig.

'Dat heb je eerder gedaan', zei Wenche.

Lasse bewoog zijn handen geleidelijk dichter naar de blessures op de benen van het paard. Door de modder was het moeilijk te zien waar ze precies waren. Wenche liep naar buiten en een ogenblik later kwam ze terug met een emmer en een spons. Voorzichtig en met trage bewegingen liet Lasse het water over de bloederige onderbenen van het paard sijpelen. Elke keer als de modder wegspoelde, kwamen er littekens van diepe sneden en verse, open wonden tevoorschijn.

'Dit paard werd mishandeld!' Lasses stem trilde.

Alise keek geschokt naar de wonden. Deed iemand zoiets echt met opzet? Hoe hard moest je een paard wel niet slaan om zulke blessures te veroorzaken? Hoe kon je dat een dier aandoen!

Het rillende paard liet Lasse ook zijn andere voorbeen betasten. Dat zag er net zo toegetakeld uit. Lasse schudde verdrietig zijn hoofd.

'Ik dacht niet dat ik dit ooit opnieuw zou hoeven zien.'

'Wat bedoel je met "opnieuw"?' vroeg Alise.

'Blijkbaar blijven er altijd genoeg idioten op de wereld rondlopen', ging Lasse verder. 'Idioten die menen dat ze een paard moeten slaan om het te laten presteren.'

Wenche schudde langzaam haar hoofd en leek te begrijpen waar het over ging. Alise begreep er nog steeds niks van.

Lasse legde dikke verbanden om de pijnlijke wonden van het paard en intussen vertelde hij Alise wat hij bedoelde. Idioten sloegen met ijzeren staven tegen de benen van een paard wanneer het over een hindernis moest springen. Ze dachten dat het dier bang zou worden om zijn benen tegen de balken te stoten en daardoor altijd hoger zou springen. En zo zou het paard veel geld opbrengen bij springwedstrijden. Lasse had dat in het verleden gezien en het ellendige was dat je zelden kon bewijzen wat er gebeurd was. Sommige paarden sprongen inderdaad hoger en wonnen prijzen en deden het een tijd goed. Maar de meeste paarden, zei Lasse, werden voor de rest van hun leven verknoeid. Ze zouden nooit meer mensen vertrouwen en dan wilden ze ook nooit meer springen.

'Waarom niet?' vroeg Alise. 'Een paard kan toch vanzelf springen?'

'Buiten in de natuur wel', zei Lasse. 'Maar springen met iemand op je rug is een kwestie van vertrouwen. Je vraagt het paard om honderd procent op jou te vertrouwen. Als jij hem aanspoort om te springen, moet het altijd veilig zijn. Wanneer het paard op jouw bevel springt, dan doet het dat omdat het weet dat jij te vertrouwen bent. Het zet zich stevig af en het zweeft door de lucht in het onbekende, alleen voor jou. Omdat het paard weet dat jij hem nooit iets zult vragen wat hem kwaad berokkent.'

Lasse maakte de laatste zwachtel vast en kwam met een stramme beweging overeind.

'Dat vertrouwen,' zei hij, 'mag je nooit misbruiken. Zoiets is je reinste misdaad.'

Hij aaide het paard voorzichtig over zijn hals. Wenche had aandachtig naar Lasse geluisterd en tussendoor bevestigend geknikt.

'Daar zeg je een waarheid die we nooit mogen vergeten', zei ze.

Lasse kwam uit de box en stak haar zijn hand toe.

'Bedankt voor de gastvrijheid.'

Wenche drukte zijn hand.

'Dat is oké. Jullie kunnen hier blijven zo lang als dat nodig is.'

Lasse knikte vermoeid. Nu was hij uitgeput, dat kon Alise duidelijk zien. Hij keek nog eens in de box van het paard.

'Ik kom morgen terug, jongen. Dan zal ik je verder helpen. Ik zorg voor jou, dat beloof ik!'

Alise keek vol verlangen naar het paard. Durfde ze maar naar binnen. Ze zou hem ook graag verzorgen en troosten, net zoals Lasse.

Lasse keek haar aan alsof hij begreep wat ze dacht.

'We komen allebei terug', zei hij tegen het paard. 'Akkoord, Alise?'

Alise knikte dankbaar.

7.

Alise draaide zich voor de honderdste keer om in bed. Het was absoluut onmogelijk om te slapen. De gedachten stuiterden door haar hoofd. Wat vreemd dat een doodsbang paard zomaar tussen de woonblokken galoppeerde. Hoe was het daar beland? Waarschijnlijk ging het op de vlucht voor de monsters die het zo hadden geslagen. Of misschien hadden die idioten het paard expres in de stad losgelaten zodat het aangereden zou worden. Het leek bijna een wonder dat dat niet gebeurd was. De snelweg liep immers net langs de rand van Blystad.

En wat leuk dat Lasse haar had geholpen. Zoals hij met dat paard om kon gaan! Zo lief en rustig, zo ongelofelijk bezorgd. Heel anders dan ze hem ooit eerder had gezien. Er was iets nieuws over hem gekomen. Een andere manier van praten, van zich gedragen. De manier waarop hij haar had gevraagd om niets over die geschiedenis met het paard aan mama te vertellen! Wat een verschil met toen hij haar vroeg om haar mond te houden over het bejaardenhuis! Toen klonk hij dreigend, angstaanjagend. Of niet? Misschien niet echt, maar... kwaad in elk geval wel. Vandaag was daar geen spoor van te bekennen. 'Jij en ik, Alise', had hij gezegd. 'Jij en ik, wij samen. We zeggen nog niks tegen Tone, hè? Zij begrijpt niet wat paarden denken, ze heeft nooit iets voor hen gevoeld. Daarom... daarom houden wij dit voor ons. In elk geval in het begin... tot we zien hoe het verder gaat.' Alise was het ermee eens geweest. En ze had zich gevleid gevoeld. En blij. Lasse had naar haar geglimlacht. Een vertrouwelijke, samenzweerderige glimlach. Nu hadden ze een echt geheim samen. Een prachtig geheim.

Alise kroop uit bed en zette het raam op een kier. Zachte muziek golfde naar binnen van het balkon waar Lasse lag. Ze zag dat hij rookte. En hij hoestte. Met lange, taaie uithalen.

Onder hen lag de stad. Zijn duizenden lichtjes schenen van onderaf op de dikke regenwolken en maakten er plukken oranje rook van. Door het vreemde lichtspel leek het alsof de regen niet op de heuvels viel, maar de heuvels de regen opzogen. Een omgekeerde wereld, net zo bizar als alle andere dingen die vandaag gebeurd waren.

8.

De volgende ochtend werd Alise wakker met een kriebel in haar neus. Yes! Dit was net wat ze nodig had. Nu konden zij en Lasse naar de stal zodra mama weg was.

Toen mama in haar kamer kwam en haar voor de eerste keer wekte, deed Alise alsof ze nog sliep. Ze wist dat mama het druk had en niet zo op details lette. Daarom moest Alise zich verschillende keren laten wekken. Pas toen mama voor de derde keer in haar kamer kwam en ongeduldig riep dat ze nu móést opstaan, gebruikte Alise haar verstopte neus en mompelde ze dat ze ziek was. Mama voelde aan Alises voorhoofd. Geen koorts. Ze kon absoluut geen tijd verliezen vandaag en dus zeker niet voor een kleine verkoudheid bij haar thuisblijven.

'Maar Lasse kan op mij passen!' zei Alise.

Mama keek verrast op.

'Ik dacht dat jullie het niet zo goed met elkaar konden vinden?'

'Nee, maar... als het moet...'

Mama ging er vrij snel mee akkoord. Ze gaf Lasse instructies over kruidenthee en honing en haastte zich naar de deur met Jacob op één arm en haar dossiers onder de andere arm geklemd.

Alise lag nog steeds met een blije glimlach in bed toen Lasse naar binnen keek.

'Lukt het hier alleen terwijl ik naar de stal ga?'

'Nee, zeg! Ik wil mee!'

Lasse lachte.

'Dat dacht ik al, ja.'

Terwijl Alise in de badkamer haar tanden stond te poetsen, rinkelde haar mobieltje. Het was Rebekka. Alise weigerde de oproep. Deze keer had ze geen excuus om Rebekka erbuiten te houden. Ze zou een bericht sturen en zeggen dat ze ziek was. Rebekka mocht Lasse niet ontmoeten. In elk geval nu nog niet.

In de stal vonden ze een vermoeide en niet erg tevreden Wenche. Ze was vroeg gewekt door hard gestamp tegen de boxmuur en luid, indringend gehinnik. Alise gluurde tussen de metalen spijlen naar het paard, dat met zijn achterwerk naar hen toe stond te eten. Het dier zag er nu heel rustig uit, maar Wenche vertelde dat ze het hooi over de rand van de box had moeten gooien. Want toen ze probeerde om het via de deur binnen te brengen, was het paard in de aanval gegaan.

'Zo, zo, jongen...' Lasse praatte boven de boxdeur. 'Ben je weer wild geweest vandaag? Hè?' Lasse sprak het dier zacht en geruststellend toe. Het paard hield op met eten, maar bleef met zijn achterwerk naar hen toegekeerd staan. Lasse ging gewoon door met praten, op die zachte, vriendelijk toon van hem, die Alise intussen goed kende. Hij vroeg het paard hoe het met zijn benen ging en of hij wat geslapen had. Na een tijdje draaide het paard zijn hoofd om en gluurde het nieuwsgierig naar Lasse.

'Ja, kom maar, jongen. Herken je me weer? Ik ben het, Lasse!'

Hij deed de boxdeur open. Het paard hinnikte zacht als begroeting. Alise kon zien hoe Lasses gezicht ontspande in een glimlach. Het paard draaide zich nu helemaal om en wreef met zijn wang tegen de mouw van Lasses jas. Wenche schudde glimlachend haar hoofd.

'Een kieskeurig kereltje! Hij wil niet zomaar iedereen in zijn buurt...'

Lasse knipoogde vriendelijk naar haar.

'Jij komt binnenkort ook wel in zijn vriendenkring, geloof me. Gebruik gewoon je charme! Zie je! Hij is het ermee eens.'

Het paard maakte een paar gekke kauwbewegingen met zijn kaak en boog zijn hoofd.

'Alise, kijk!' lachte Lasse. 'Hij praat met ons.'

Alise keek niet-begrijpend naar het paard. Praten? Wat bedoelde Lasse? Het dier stond daar toch gewoon te buigen en te kauwen.

'Ja,' grijnsde Lasse, 'maar schudden en kauwen tegelijk is een teken dat hij iets wil zeggen. Hij wil vriendschap met ons sluiten.'

'Met ons?' Alise keek sceptisch naar Lasse.

'Dat komt wel, wees gerust. Als je wilt, natuurlijk', mompelde Lasse.

Er was niets wat Alise liever wilde. Maar hoe zou dat ooit lukken? Ze durfde immers niet eens een hand uit te strekken om hem te aaien. En toen Lasse het paard uit de box leidde om het mee naar buiten te nemen, drukte Alise zich tegen de muur. Ze was doodsbang dat het beest zou schoppen of steigeren of haar aan zou vallen.

Waarom voelde ze die angst? Terwijl ze er eigenlijk hevig naar verlangde om het paard te verzorgen en te aaien, net zoals Lasse? Hoe kwam het toch dat ze bang was voor wat ze het liefst in de hele wereld wilde? Rebekka had gelijk. Ze was een schijterd.

In de kleine, omheinde ruimte voor de stal werkte Lasse op dezelfde manier met het paard als gisteren. Alise volgde aandachtig elke beweging. Lasse ging met kordate, rustige stappen achter het paard aan, terwijl hij het voortjoeg met de halster. Nu wist Alise waarom hij het voortjoeg. Je kon het vergelijken met samen op reis gaan, had Lasse haar gisteren verteld. Een gezamenlijke tocht, maar toch ieder voor zich. Wanneer hij het paard alsmaar rondjoeg, reageerde het volgens zijn instinct, zoals het zou doen bij een achtervolging in de vrije natuur. Deze achtervolger, in dit geval Lasse, zou na een tijdje niet zo gevaarlijk blijken, omdat hij nooit in de aanval ging. Dan werd het paard nieuwsgierig naar wat hij wilde en wie hij was. Dus als de achtervolger wat meer afstand liet en zich langzamer bewoog, vertraagde het paard ook zijn tempo om de afstand niet te vergroten. En wanneer de achtervolger stilstond, deed het paard hetzelfde. En dan bekeken ze elkaar. Soms kwam het paard langzaam en vriendelijk buigend naar de onbekende toe. Alles wat hij dan moest doen, was het paard rustig laten neuzen en proesten, porren en groeten. Dan pas mocht hij de groet beantwoorden door het paard te aaien en te krauwen, zoals paarden bij elkaar doen. Soms aarzelde het paard een beetje of het eigenlijk wel zin had in nieuwe vrienden. Dan kon de achtervolger verdergaan met jagen of de rollen omdraaien. In negenennegentig procent van de gevallen, zei Lasse, kwam het paard je achterna als je wegging. En na een poosje mocht je weer stoppen en het paard een nieuwe kans geven om dichterbij te komen en te groeten.

Dat was wat Lasse gisteren op het basketbalveld had gedaan. En als het een echte tocht in het bos was geweest, over de heuvels, dan hadden ze de achtervolging voortgezet. Dat was in zekere zin wat hij vandaag deed toen hij het paard eerst een paar rondjes voortjoeg in de omheinde loopruimte, voordat hij heen en weer begon te lopen, waarbij het paard hem gedwee volgde.

Wenche kwam naar buiten om te kijken hoe het ging. Even later verschenen twee meisjes met glanzende, lange laarzen en strakke rijbroeken aan. Alise keek stiekem vanuit haar ooghoeken naar hen. Ze liepen naar de omheining en zetten een voet op de onderste balk, terwijl ze hun armen losjes op de bovenste balk lieten hangen. Dat was zo'n natuurlijke beweging, dat het leek alsof ze daar al duizend keer hadden gestaan en alles wisten over stallen, paarden en rijden. Ze keurden Alise geen blik waardig, maar het paard...

daar waren ze duidelijk van onder de indruk. En dat paard, dacht Alise, was eigenlijk toch een beetje van haar en Lasse.

'Het paard dat je vroeger had, Lasse...'

'Hmm?' Lasse wierp een verstrooide blik achterom.

'Ja, dat bijzondere, je weet wel...'

Nu leek het alsof de meisjes haar voor het eerst opmerkten. Een van hen had een brutaal lachje, alsof ze begreep dat het Alise erom te doen was hun aandacht te trekken. Alise kon in elk geval niet meer terug.

'Bedoel je Trigger?' vroeg Lasse.

Alise knikte.

'Wat wil je over hem weten?' vroeg hij.

Alise wierp een steelse blik op de meisjes.

'Misschien kunnen we dit paard naar hem noemen? Trigger?'

Lasse grijnsde.

'Zooo, jongen...' Hij stond stil en friemelde aan de kuif van het paard. 'Trigger... Ja, dat lijkt me een goede naam. Wil jij zo heten?'

Het paard, dat het leek te waarderen dat het gekrauwd werd, duwde zijn hoofd in Lasses zij. Lasse lachte. De naam was duidelijk oké.

Alise loerde vluchtig naar de meisjes met hun glanzende laarzen. Lasse had haar bedoeling door en haalde zijn meest verleidelijke glimlach tevoorschijn.

'Vinden jullie hem niet knap, ons paard?' vroeg hij.

De meisjes glimlachten beleefd.

'Ja, ja...' Lasse streelde Trigger over zijn hals. 'Zullen we naar binnen gaan om een beetje uit te rusten, jij en ik?'

Alise deed gauw het hek voor hen open, dat kon ze tenminste. Ze keek Lasse na terwijl hij met Trigger als een trouwe hond op zijn hielen terugliep. Je zou nooit geloven dat dit het wilde, angstige dier van gisteren was.

Alise wilde achter Lasse aan de stal in, maar opeens stonden de twee meisjes tussen haar en de deur. Ze leken niet meteen gebrand op een nieuwe vriendin. De grootste van de twee stond vooraan. Ze was dun en knokig en had kort haar, bijna als een jongen. Maar ze zag er vooral vreselijk verwaand uit.

'Hebben we haar hier al eens gezien, RC?' vroeg ze zonder haar ogen van Alise af te wenden.

RC droeg dezelfde kleren als haar vriendin, maar was bijna een halve meter kleiner en dubbel zo breed. Ze kauwde verwoed op een snoepje en bewoog het als een bult van de ene wang naar de andere. Ze schudde haar hoofd.

'Dat denk ik niet, Vivian', kirde ze.

'Oh, zijn jullie misschien die lui die dat paard hebben gevonden? Jij en die ouwe?' vroeg Vivian.

Alise knikte gespannen. Ze had geen zin om met die verwaande meiden te praten.

'Eh... ik moet ervandoor', probeerde ze.

RC en Vivian maakten geen aanstalten om uit de weg te gaan.

'Denk je nu echt dat het paard van jullie is omdat je het hebt gevonden? Zielig, hoor! Het een naam geven en zo... Toe maar!' Vivian lachte schamper.

RC lachte met de helft van haar mond, waar het snoepje niet zat. Alise werd kregelig.

'Laat me erdoor', zei ze, veel dapperder dan ze zich voelde.

De meisjes lieten haar voorbij, maar liepen met haar mee de stalgang in. Alise haastte zich naar de box van Trigger, waar Lasse het paard aan het borstelen was.

'Trigger, hè!' hoorde Alise hen giechelen voordat ze ieder naar hun pony verdwenen.

Ze hadden gelijk, Trigger was van iemand anders. Maar die iemand had zijn paard mishandeld.

'Lasse, als de eigenaars komen... mogen ze Trigger dan zomaar meenemen? Ik bedoel, wij weten toch wat ze met hem gedaan hebben?' Alise praatte zacht zodat de meisjes haar niet zouden horen. Lasse schudde bedenkelijk zijn hoofd.

'Tja, om eerlijk te zijn, zou ik liever hebben dat ze niet kwamen opdagen.'

'Waarom niet?'

'Het is bijna onmogelijk om te bewijzen dat zij het paard mishandeld hebben, snap je.'

'Maar jij had het toch meteen opgemerkt, waarom anderen dan niet?'

Lasse vertelde dat er sterke bewijzen nodig zijn voordat ze een dier in beslag namen. Als de eigenaar van Trigger zijn paard terug wilde, kon hij gewoon zeggen dat het dier zich verwond had terwijl het uitbrak of doen alsof hij van niets wist. Hij streek Alise over haar wang.

'We kunnen alleen hopen...'

Hij gebaarde naar Wenche, die verderop in de stalgang met twee bekers koffie zwaaide.

Alise bleef achter en keek door de spijlen van de box naar Trigger. Hij had wat hooi voor zich liggen en maakte gezellige kauwgeluiden. Ze hield van de manier waarop zijn kiezen het hooi vermaalden. Hij was zo rustig en tevreden. Zo kalm. Haar aanwezigheid leek hem niet te storen. Misschien was hij al een beetje aan haar gewend. Zou hij begrijpen dat zij iets met zijn redding te maken had?

Opeens stonden Vivian en RC naast haar.

'Waarom sta je hier naar hem te kijken?' Dat was Vivian. 'Waarom ga je niet naar binnen?'

Alise antwoordde niet. Ze schudde gewoon haar hoofd.

'Nou?' drong Vivian aan.

'Hij is bang', zei Alise. 'Voor mensen.'

Vivian en RC gierden het uit. Dat was het domste wat ze ooit hadden gehoord. Daarnet stond het paard toch buiten met die ouwe? Nee... Het was eerder Alise die bang was! Vivian bonsde met gebalde vuist tegen de boxdeur.

'Laat je eens zien!'

Trigger schrok.

'Ha, dat is beter!'

'Hij is aan het eten. Laat hem met rust', protesteerde Alise.

De meisjes negeerden haar.

'Bange griet!' Vivian deed de boxdeur open en klapte Trigger op zijn rug. 'Mij krijg je niet aan het schrikken, hoor!'

'Nee!' riep Alise.

Maar het was te laat. Door de scherpe stem en de plotselinge klap draaide Trigger zich op twee benen rond. Zijn ogen rolden van angst. Vivian schreeuwde het uit toen een grote hoef haar schouder raakte. Lasse en Wenche renden door de stalgang en kwamen nog net op tijd om te zien hoe Vivian achterover uit Triggers box werd geslingerd.

Vivian gilde van de pijn en RC gilde vanwege de gil. Alise keek huiverend toe hoe Trigger in zijn box ronddraaide, zich plotseling vooroverboog en zijn achterbenen tegen de boxwand gooide zodat de spaanders in het rond vlogen.

Wenche kwam het eerst weer tot zichzelf.

'Had ik niet gezegd dat niemand, níémand bij dat paard naar binnen mocht!'

Haar gezicht was wit van de spanning.

'Gaat het met jou?' Lasse keek naar de doodsbleke Alise.

Alise knikte, maar ze was zo verstijfd van angst dat ze geen woord kon uitbrengen. Lasse staarde haar doordringend aan.

'Zeker?'

Alise knikte opnieuw. Haar hart bonkte twee keer zo snel en het bloed raasde in zo'n vaart door haar lichaam dat haar oren ervan suisden. Trigger hinnikte lang en schril. Lasses aandacht ging meteen naar hem. Het paard trilde en loenste angstig naar wat er buiten de box gebeurde. Lasse deed voorzichtig de deur open en praatte op zijn gebruikelijke zachte toon.

'Waarom is iedereen met dat paard bezig?' huilde Vivian. 'Waarom kijkt niemand naar mij? Hij heeft me pijn gedaan, hoor!'

'We zien dat het met jou oké is en jij verdient geen medelijden', was Wenches genadeloze antwoord.

'Verrekt snertpaard! Hij had me wel dood kunnen trappen!' jammerde Vivian. 'Dat beest is niet te vertrouwen!'

Op dat moment zwaaide de staldeur open en verscheen een indrukwekkende figuur als een zwart silhouet in het tegenlicht.

9.

De sfeer in de stal veranderde onmiddellijk. Het leek alsof iemand opeens het geluid had uitgezet. Vivian hield op met jammeren en zowel Wenche als Lasse tuurde verward naar de keurig geklede man die ontspannen tegen de muur leunde. Alise, die eerst geschrokken was door zijn dreigende silhouet, vond nu dat zijn gezicht er merkwaardig normaal uitzag.

'Samoia's Prins van Stern Adler', zei hij langzaam, bijna meewarig. 'Het duurste springpaard van Noorwegen, dat niet kan springen.'

Hij schudde teleurgesteld zijn hoofd.

'Pure waanzin... alleen maar ontgoochelingen...'

Lasse kwam uit de box en stak zijn hand uit als begroeting. De man drukte zijn hand krachtig.

'Elias Hiort. Ja, ik ben de eigenaar van dit hopeloze paard.'

'Hopeloos? Nee...' zei Lasse. 'Zeker niet! Hij heeft alleen tijd nodig. Een beetje zorg en tijd.'

Elias Hiort glimlachte minzaam naar Lasse. 'We hebben er meer dan genoeg tijd aan verspild. Maar bedankt in elk geval.'

Hij draaide zich om naar Vivian.

'Als je eisen hebt in verband met schadeverzekering, kun je me hier bereiken.' Hij gaf haar zijn visitekaartje. 'We hebben een goede verzekering, vijf miljoen om precies te zijn. Zo!' Hij klapte in zijn handen en Trigger schrok opnieuw.

'Ik zal het slachthuis in kennis stellen. De verzekering, begrijp je, betaalt niets voor een verdwenen paard. Ze moeten het in worsten gedraaid zien.'

Elias Hiort keek hen aan met een vreugdeloze glimlach en ging met snelle stappen naar de deur. Alise staarde wanhopig naar Lasse, die er echt ontdaan uitzag.

'Wacht!' riep Lasse plotseling. 'Wacht... ik, ik denk dat ik u kan helpen.'

De man schudde slechts zijn hoofd. Lasse haastte zich achter hem aan.

'Wacht... wacht... wacht! Ik heb eventjes met hem gewerkt. Hij lijkt me leergierig, begrijpt u. Goede inborst. Wil meewerken. Mooi... prachtig mooi dier. Sierlijke bewegingen... een perfect springpaard.'

Lasse was buiten adem. Hij wist dat hij weinig kans had. Hij wilde immers een poging wagen om het paard te redden, terwijl het besluit van de man al vaststond.

'Ja, echt een mooi dier...' ging Lasse verder. 'Hij is gewoon ergens bang van geworden. Er speelt iets door zijn hoofd, dat voel ik duidelijk. Hij heeft wat tijd nodig. Geduld.'

Alise zag dat Lasses handen trilden. Dit was blijkbaar belangrijk voor hem. Ze liep naar hem toe en greep zijn hand.

'Het is waar, meneer. Ik heb het zelf gezien. Trigger werd helemaal rustig toen Lasse met hem bezig was.'

Het leek alsof Elias Hiort haar nu pas opmerkte. Zijn blik gleed vluchtig over haar heen.

'Trigger?'

'Ja...' Alise keek onzeker naar Lasse. 'Met een halster... Lasse joeg hem achterna met een halster...'

Elias Hiorts ogen werden eerst groot van verbazing, toen begon hij schaapachtig te lachen.

'Met een halster? Prins? Hocus Pocus Pierlala!'

Hij draaide zich om en wilde nu definitief vertrekken, maar Lasse greep hem bij zijn arm. 'U wilt toch wel alles proberen? Voor uw prachtige paard?'

Een fractie van een seconde kromp Hiort in elkaar.

'Wat bedoel je?' vroeg hij toen kort.

Lasse nam een weloverwogen pauze voordat hij antwoordde. Alise zag dat hij de man aankeek met die scherpe blik van hem waar ze zelf altijd bang voor was.

'Ik bedoel,' zei Lasse, 'dat u dit mooie paard toch niet naar het slachthuis kunt sturen als ik zeg dat ik hem in twee dagen in orde krijg.'

De man liet zijn blik grimmig over de stal dwalen. Lasse deed een stap naar voren en herhaalde zijn vraag, die nu eerder als een bevel klonk.

'Dat is hij toch wel waard? Twee dagen?'

Alise voelde dat Lasse haar hand drukte. Er gingen ongeveer twee seconden voorbij en toen vertrok het harde masker van Elias Hiort zich tot een wrange glimlach.

'Ja, uiteraard willen we alles proberen. Goed, we zien elkaar over twee dagen.'

Toen Elias Hiort door de staldeur verdwenen was, haalde Lasse opgelucht adem. Hij gaf Alise een bemoedigend klopje op haar schouder.

'We moeten er gauw aan beginnen.'

'We?' vroeg Alise.

'Ja', glimlachte Lasse. 'Wij... Hocus Pocus Pierlala, snap je!'

Alise giechelde. Ineens trok Lasse zijn hand weg en begon hij te kreunen. Hij boog zich voorover en drukte met gebalde vuisten tegen zijn borstkas.

'Lasse, wat is er?' Alise observeerde hem geschrokken.

Lasse schudde zijn hoofd.

'Niet nu... alsjeblieft!' steunde hij. 'Niet nu...'

'Lasse!'

Alise deed een pas naar voren om hem op te vangen, maar het slappe lichaam was te zwaar. Zelfs als ze al haar kracht gebruikte, lukte het haar niet om hem tegen te houden. Met een doffe plof viel Lasse op de harde stalvloer.

10.

Het duurde een eeuwigheid voordat ze in het ziekenhuis bij Lasse op de kamer mochten. Ze moesten in de gang blijven wachten tot iemand hen zou roepen. Mama was al verschillende keren naar het loket gegaan om bij de verplegers naar nieuws te vragen. Alise hoorde niet wat ze zeiden, ze zag alleen dat ze hun hoofd schudden. Mama was teleurgesteld, wanhopig en boos tegelijk. Het gebrek aan informatie stoorde haar verschrikkelijk. Maar wat haar waarschijnlijk het meest stoorde, was dat ze zelf niets kon doen.

En daarom vroeg mama telkens opnieuw aan Alise om te vertellen wat er gebeurd was. Vooral over wat hij gefluisterd had toen hij viel. Had hij echt gevraagd of Alise haar wilde bellen? Alise herhaalde het voor minstens de tiende keer. Gelukkig vroeg mama niet waar het gebeurd was en Alise repte er ook met geen woord over. Mama dacht immers dat ze de hele dag thuis waren geweest.

'Was er iets wat hij mij wilde zeggen? Heb je echt mijn naam gehoord? Zei hij niet gewoon: "Hoor je de beltoon?"'

Alise schudde haar hoofd.

'Nee, echt niet. Hij zei: "Bel Tone!" Is dat dan zo vreemd? Hij voelde zich niet goed en wilde dat jij op de hoogte was. Dat is toch logisch?'

Mama's mondhoeken trilden.

'Nee, het is heel bizar dat hij op zo'n moment aan... eh...'

'Aan jou dacht?'

Mama knikte. Meteen daarop stond ze weer op. Ze kon niet stil blijven zitten. Weer liep ze naar het loket, in de hoop informatie te krijgen. Ze was nog maar net weg, toen er een verpleger uit Lasses kamer kwam.

'Mag ik nu naar binnen?' vroeg Alise.

De verpleger knikte.

'Heel eventjes.'

Lasse lag in een kleine kamer en de gordijnen waren dichtgetrokken. Het leek alsof hij sliep. Zijn bed was omringd door allerlei vreemde toestellen op wieltjes en op een monitor kon Alise zijn hartslag volgen. Het toestel gaf een groenig licht en wierp een akelige weerschijn op zijn huid.

'Lasse?' Haar stem begaf het nog voordat ze zijn naam kon uitspreken.

Ze schraapte haar keel en voelde haar handen klam worden. Lasse zag er behoorlijk ziek uit. Alise sloop zo dicht mogelijk bij het bed en keek tussen twee machines door naar zijn gezicht.

'Lasse?'

Hij draaide zich zo plotseling naar haar toe, dat ze schrok.

'Eindelijk ben je er', zei hij licht verwijtend.

'We mochten niet eerder naar binnen.'

Lasse zuchtte.

'Ach...'

Hij wenkte haar en klopte op de rand van het bed, om aan te geven dat ze daar moest zitten.

'Jij moet zolang op Trigger passen, Alise.'

Ze knikte. Wat kon ze anders doen?

Lasse strekte zijn hand naar haar uit.

'Beloof je me dat?'

'Ik beloof het', antwoordde Alise.

Wat kon ze anders zeggen?

Het regende toen ze met een taxi naar huis reden. Alise tekende op de beslagen ruiten achterin. Mama zat naast de chauffeur en gaf instructies over de snelste route. De chauffeur keek wat suf, maar nam toch de weg die mama hem aanraadde.

Na het korte gesprek met Alise was Lasse in slaap gevallen. Hij was niet meer wakker geworden voordat mama en Alise vertrokken. De verpleger kon alleen maar zeggen dat zijn toestand stabiel was. Dat wilde zeggen dat Lasse niet slechter, maar ook niet beter werd. De dokter had vandaag geen tijd om met hen te praten.

Mama trommelde rusteloos met haar vingers tegen elkaar.

'Hij is oud, Alise', zei ze plotseling. 'Snap je?'

'Ja, dat weet ik.'

Mama draaide zich om en keek haar indringend aan.

'Zoiets gebeurt met oude mensen', zei ze zacht.

11.

Wenche liep naar het erf zodra ze Alise zag aankomen. Haar gezicht was een en al ongerustheid.

'Hoe gaat het met hem?'

Alise slikte. Ze wist het eigenlijk niet. Mama had vanochtend verschillende keren naar het ziekenhuis gebeld, maar geen dokter te pakken gekregen. Arme mama, ze was zo gestrest dat ze slechts met 'ja' en 'ha' reageerde toen Alise zei dat ze zich nog zieker voelde dan gisteren en liefst thuis in bed wilde blijven.

'We zullen vandaag wel meer weten', zei Alise tegen Wenche. 'Ik denk dat hij misschien morgen naar huis mag.'

Wenche schudde mismoedig haar hoofd.

'Ach, ik weet niet over wie ik me het meest zorgen moet maken. Laten we eerlijk zijn: zonder Lasse heeft het paard geen enkele kans.'

Wenche vertelde dat ze niet eens bij Trigger in de box mocht komen. Als Lasse niet snel weer op de been was, kon ze geen verdere verantwoordelijkheid voor het paard op zich nemen.

Alise volgde haar de stal in. Toen Trigger hen hoorde komen, strekte hij zijn hals. Daarna hinnikte hij lang en luid en gaf een woeste trap tegen de muur.

Alise wilde zich het liefst omdraaien en weer naar buiten lopen. Kon ze maar een excuus bedenken, wat dan ook. Ze wilde elk nauw contact met dat waanzinnige paard vermijden.

Waarom had ze Lasse beloofd dat ze voor hem zou zorgen? Wat kon zij eigenlijk doen? Trigger hinnikte opnieuw en schopte weer tegen de muur.

'Rustig maar... rustig maar, jongen', mompelde Wenche.

Alise kwam voorzichtig naar de box en probeerde zo veel mogelijk te zien zonder naar binnen te gaan. Trigger bewoog zich onrustig. De zwachtel aan één been was bijna helemaal losgeraakt en hij kon er elk moment over struikelen. Alise gluurde benauwd naar Wenche.

'Blijf hier staan', zei Wenche terwijl ze de boxdeur opende. 'Ik wil de deur niet dicht, voor het geval ik er snel uit moet.'

Trigger hinnikte nerveus toen Wenche bij hem in de box kwam. Zijn ogen rolden rond om alles onder controle te houden. Hij zag er niet gelukkig uit, maar hij stond in elk geval stil.

'Zoooo, ja', sprak Wenche op geruststellende toon.

Als Wenche bang was, dan kon ze het verdorie goed verbergen, dacht Alise.

'Ruuustig... zooo, jaaa...'

Wenche bewoog heel langzaam om hem niet op te schrikken. Ze reikte voorzichtig naar de zwachtel. Net toen ze die te pakken kreeg, steigerde Trigger plotseling en wierp hij zich tegen de deur, waar Alise stond.

Ze wist dat ze alleen maar de grendel moest verschuiven om de deur te sluiten, maar een instinctieve reflex dwong haar te vluchten. Dus toen Wenche 'deur dicht!' gilde, had Alise al lang dekking gezocht in de lege box ernaast.

Door de spijlen van de box zag Alise hoe Trigger in volle vaart door de stalgang raasde. De loshangende zwachtel sleepte hij mee. Hij gleed uit op de betonvloer en wankelde, wanhopig naar evenwicht zoekend. Alise schreeuwde het uit toen hij met een van zijn achterbenen in de losse zwachtel verstrikt raakte. Zijn voorbeen werd naar achteren getrokken, terwijl de rest van zijn lichaam vooruit wilde. Trigger ging door zijn knieën en gilde van angst en pijn. Hij begreep niet wat hem hinderde en worstelde om weer overeind te komen. Maar telkens opnieuw gleed hij achteruit. In zijn panische gevecht schopte en trapte hij tegen alles wat zich in zijn buurt bevond. Emmers en manden met verzorgingsspullen vlogen tegen de muur.

Alise zag dat hij uiteindelijk toch overeind kwam, met een vastberaden trap van zijn hoef de deur opengooide en trots het erf op draafde. Dit had hij blijkbaar eerder gedaan. Hij rende naar de omheinde loopruimte en brak met zo'n kracht door de afsluiting dat die in stukken uit elkaar spatte.

'Nee, zeg!' Wenche tuurde vol ongeloof naar de ravage. 'Mijn omheining!'

'Zei ik je niet dat je de deur dicht moest doen!' Ze keek boos naar Alise. 'Kan ik dan niet op jou vertrouwen?'

Alise dook ongelukkig in elkaar. Ze wist niet wat ze moest zeggen. Het was geen kwestie van vertrouwen... ze was doodsbang. Buiten hinnikte Trigger zegevierend. Hij trappelde met zijn voorbenen en steigerde hoog. De vuile zwachtel was nu helemaal los en zeilde als een vaandel door de lucht.

Alise staarde naar de puinhoop in de stalgang, terwijl Wenche haastig probeerde om het gat in de omheining te dichten. Trigger was gekalmeerd en nam in lange draf en met opgeheven staart de omheinde ruimte in bezit.

Alise begon de roskammen, schuiers, emmers en sponsen van de vloer op te rapen. Ze veegde de weggestroomde haver bij elkaar. Gelukkig was er, behalve de omheining, verder niets beschadigd. Ze vroeg zich af of zij verondersteld werd om die kosten te vergoeden. Wat zou ze dan thuis moeten zeggen? Ze kreeg niet eens de toestemming om zelfs maar naar een paard te kijken!

Alise liet zich zakken op een grote koffer met materiaal. Waarom werd Lasse ziek terwijl ze hem echt nodig had? Waarom juist nu? Nu ze eindelijk vrienden geworden waren?

En waarom snapte Trigger niet dat ze hem wilden helpen? Dat als zij niet... als zij hem niet... ja, dan... Alise durfde niet verder te denken. Dom paard!

Wenche keek wat vriendelijker toen ze merkte dat de stal er weer netjes uitzag.

'Ik heb intussen begrepen dat je bang werd', zei ze. 'Het was niet jouw schuld.'

Alise wist dat Wenche dat alleen maar zei om haar te troosten. Natuurlijk was het wel haar schuld. Maar ze voelde zich blij met de woorden en glimlachte dankbaar.

12.

Op het scherm volgde Alise de groene stip die Lasses hartslagen telde. Het leek net een erwtje. Misschien werkte je hart echt zo, als een kleine knikker die daarbinnen rondstuiterde en geregeld tegen je borst bonsde. Misschien was dat het bonzen van je hart?

Ze drukte haar handen tegen haar hart en telde de slagen. Haar hart sloeg veel sneller dan dat van Lasse. Bijna twee keer zo snel. Alise werd bang. Misschien was zijn hart langzaam bezig om te stoppen? Misschien ging het steeds trager kloppen? Alise schudde Lasse zacht door elkaar.

'Lasse, wakker worden!'

'Wat...?'

Hij knipperde met zijn ogen en keek verward naar Alise.

Alise haalde opgelucht adem. Ze kon duidelijk zien dat zijn hart nu sneller sloeg. Lasse glimlachte vermoeid toen ze hem uitlegde waarom ze hem wakker had gemaakt.

'Mijn hart spaart energie als ik slaap. Godzijdank.'

Hij sloot zijn ogen. Alise dacht dat hij weer was ingedommeld, maar opeens vroeg hij hoe het met Trigger ging.

De vraag overviel haar, ook al wist ze dat dat het eerste was wat hij zou vragen. Ze gaf liever geen antwoord. Lasse had immers zijn ogen dicht. Misschien droomde hij hardop? Maar Lasse sliep niet. Hij opende zijn ogen en keek haar met een glasheldere blik aan.

'Nou?'

'Goed!' zei ze met een diepe zucht.

'Maar de blessures – hoe gaat het daarmee... met zijn benen...?'

Lasse leunde wat dichter naar haar toe. Alise had geen zin om te vertellen wat er vandaag was gebeurd. Ze was haar belofte niet nagekomen, ze had niet voor Trigger gezorgd.

'Het gaat goed, Lasse.'

Hij keek haar onderzoekend aan.

'Het gaat goed!' herhaalde ze. 'Wil je iets drinken? Koffie misschien?'

Lasse zuchtte.

'Is het zo erg?' vroeg hij zacht.

Op dat moment kwam mama binnen. Ze had rode ogen, alsof ze gehuild had. Ze glimlachte geruststellend naar Alise.

'Mijn allergie... Wil je een glas water voor me halen?'

Toen Alise de deur achter zich dichttrok, zag ze dat mama Lasse omhelsde. Wat leuk! Zouden ze eindelijk vrienden worden? Het werd tijd, dacht Alise. Mama had eigenlijk nooit verteld waarom zij en Lasse zo'n slechte band hadden. Niet dat het Alise ooit hoofdbrekens had bezorgd, ze veronderstelde dat het contact met je ouders vanzelf anders werd als je volwassen was. Maar ze had nooit gezien dat mama Lasse omhelsde. Dat wist ze zeker.

*

Mama was weg om Jacob van de kleuterschool te halen. Alise zat achter op Lasses bed en dronk rood ziekenhuissap terwijl hij van een kopje koffie genoot. Lasse had haar gevraagd om wat extra suikerklontjes mee te brengen. Hij legde een klontje in zijn lepel en slurpte de koffie erdoor. De verplegers waren gierig met suiker, zei hij, dus wilde hij een voorraadje in zijn la aanleggen.

Toen zijn koffie op was, vroeg hij Alise om de halster uit de klerenkast te halen. Hij had die bij zich toen hij naar het ziekenhuis werd vervoerd. Alise zocht tussen de netjes opgehangen overhemden, maar vond geen halster. De kast was toch niet zo groot? Zou mama de halster hebben weggegooid? Maar toen Alise de laarzen van Lasse optilde om erachter te kijken, zag ze de halster netjes opgevouwen in een van zijn laarzen liggen. Alise lachte. Niemand anders dan mama kon zo'n vreemde plek bedenken voor een halster.

'Ze heeft alles graag ordelijk en netjes', zei Lasse.

Dat wist Alise wel.

'Wil je me over jou en Trigger vertellen, Lasse?'

Hij zuchtte.

'Wat zal ik je daarover vertellen? Trigger...'

Hij wiegde bijna onmerkbaar met zijn bovenlichaam, alsof hij door een aantal herinneringen bladerde om er de juiste uit te pikken.

En hij begon te vertellen...

Toen Tone klein was, stond de stal vol paarden. Daar leefde Lasse van – van paarden fokken en trainen. Hij was geen grote zakenman, dus hij verdiende er niet zo veel geld mee. Maar het was zijn lust en zijn leven. En hij was er goed in. Het ergste vond hij het moment dat de jonge paarden bij hem werden opgehaald om naar nieuwe eigenaars te verhuizen. Dan maakte hij gewoonlijk een lange paardrijtocht, zodat hij ze niet zag vertrekken. Hij wist dat dat de regels van het spel waren, maar telkens opnieuw vond hij het even pijnlijk.

Dat jaar kreeg hij een veulen dat heel bijzonder zou worden in zijn leven. En dat veulen was Trigger. De merrie stierf tijdens de geboorte en daarom woonde Lasse de eerste weken bij het veulen in de stal. Elke keer als het veulen honger of dorst had, stond Lasse klaar met de zuigfles. Maar toen Lasse weer in huis ging wonen, protesteerde Trigger zo luidruchtig dat Lasse hem los op het erf liet lopen. Wanneer hij de deur vergat te sluiten, liep het veulen achter hem aan naar binnen. Lasse vond het leuk om het veulen allerlei gekke dingen aan te leren, zoals pootjes geven, netjes opzitten of voor dood gaan liggen. Hij kon zelfs een soort gesprek met hem voeren. Iedereen die op de boerderij kwam, was eraan gewend om Trigger te zien rondlopen als een trouwe hond.

Toen Trigger oud genoeg was om getraind te worden, bleek dat hij een enorm springtalent bezat, het grootste talent dat Lasse ooit op zijn boerderij had gezien. Niet alleen omdat hij erg veerkrachtig was, want dat waren wel meer paarden. Maar hij had er ook het verstand voor. En het vertrouwen. Hij had een grenzeloos vertrouwen in Lasse.

Maar het zat Lasse op financieel gebied niet mee. Elk jaar ging er meer geld uit de kassa dan er binnenkwam. En op een dag waren de schulden zo hoog, dat Lasse alle paarden moest verkopen om ze te betalen. Toen de deurwaarder een prijs voor Trigger wilde bepalen, werd er hard gelachen. Iedereen wist immers dat Trigger zich meer als een waakhond gedroeg dan als een paard. Er werd slechts een kroon voor Trigger gevraagd en daardoor kon Lasse hem houden.

Lasse praatte steeds langzamer. Het leek alsof hij in slaap begon te vallen.

'Vertel verder, Lassse', bedelde Alise.

Maar Lasse had geen kracht meer. Hij vroeg haar om de halster mee te nemen als ze wegging.

'Dat is alles wat je nodig hebt, Alise', zei hij. 'De rest lukt je wel.'

Alise wilde vragen wat hij daarmee bedoelde, maar de greep om haar arm verslapte. Zijn ademhaling klonk diep en rustig. Lasse sliep.

13.

Alise slenterde de heuvel op, van de bushalte naar hun woonblok.

Ze had de halster om zich heen gehangen, onder haar jas, dwars over haar buik. Net zoals Lasse. De geur van oud leer en paard welde in kleine stootjes omhoog. Het was een heel aparte geur. Een geruststellende geur. Een Lassegeur.

Waarom dacht Lasse dat zij zoiets voor elkaar kon krijgen? Hij had toch gezien hoe dom en laf ze was. Of niet? Misschien had hij een heel verkeerde indruk van haar. Dat zou het wel zijn. Anders zou hij niet gezegd hebben wat hij zei: 'De rest lukt je wel.' Zomaar, als iets vanzelfsprekends. Alise kreeg er een fijn gevoel van. Dat Lasse op haar vertrouwde bij zoiets belangrijks, een zaak van leven of dood!

Ze moest iets doen. Maar wat?

Alise draaide de hoek om bij het flatgebouw waar Rebekka woonde. Zou ze haar erbij halen? Rebekka had altijd en overal een oplossing voor. Alise voelde het als een uitdaging om haar vriendin erbij te betrekken en toch haar geheim te bewaren.

Alise lette niet op de brommer tot hij vlak achter haar was. Ze wilde net een stap opzijzetten toen iemand haar een stevige duw in haar rug gaf zodat ze voorover op haar knieën viel. Gelukkig ging ze niet languit op de grond, maar het ruwe asfalt schuurde langs haar handen. Toen ze wilde opstaan, keek ze in het gezicht van het driekoppige monster Hockey-Eirik-Sebben. Ze zaten met zijn drietjes op de brommer. Hockey stuurde, Sebben zat en Eirik stond achter op de bagagedrager.

'Hé, kende jij die ouwe lul?' Hockey keek haar dreigend aan. 'Nou?'

Alise antwoordde niet. Ze krabbelde overeind en veegde het zand van haar broek. Ze wierp een schichtige blik op Sebben. Wist hij niet dat Lasse haar opa was? Sebben had hem in het trappenhuis gedag gezegd de laatste keer dat Lasse op bezoek was, twee jaar geleden. Sebben ontweek haar blik en keek een andere kant op.

'Hoor je niet goed of zo?' riep Hockey. 'Wie was die ouwe lul?'

'Weet ik veel', zei Alise. 'Waarom?'

Ze deed haar best om zo natuurlijk mogelijk te klinken. Als Sebben het wist, was hij blijkbaar niet van plan om haar te verraden.

'Hoe is het met dat paard afgelopen?' vroeg Eirik.

'Ze zijn het zeker komen ophalen, wat weet ik daarvan?' deed ze ongeïnteresseerd.

Alise trok haar jas wat dichter om zich heen, zodat ze de halster niet zouden zien. Te laat! Eirik had hem opgemerkt.

'Hé, is dat niet zo'n ding voor een paard?'

Alise antwoordde niet. Ze begon verder te lopen. Hockey kreeg een gevaarlijke schittering in zijn ogen. Hij liet de motor hard draaien en zette hem in versnelling.

'Ik b'n zeker dat jij 'r meer v'n weet!' riep hij.

Toen liet hij plotseling de rem los zodat de brommer met een ruk vooruitschoot. Eirik viel er bijna af. Hij schreeuwde geschrokken en klampte zich brullend van het lachen aan Sebben vast.

Alise had het akelige voorgevoel dat ze haar de volgende keer niet zo vlug zouden laten gaan.

*

Rebekka woonde met haar ouders en nog drie broers en zussen in een driekamerflat in het blok naast Alise. Het zat er altijd vol mensen en Alise had de indruk dat ze dag en nacht aan het koken waren.

Toen Rebekka de deur opendeed, werd Alise overspoeld door Chileense muziek en opgewonden kinderstemmen. Rebekka's zusje vierde haar verjaardag en de hele familie was op bezoek.

'Kom binnen!' Rebekka trok Alise de hal in. 'Ik dacht dat jij ziek was?'

Alise had niet gereageerd op de laatste sms van Rebekka. Ze wilde hoe dan ook vermijden dat Lasse en Rebekka elkaar zouden ontmoeten.

'Heb je tijd om te praten?' vroeg Alise.

'Hier?' Rebekka lachte. 'In dit gekkenhuis?'

De moeder van Rebekka kwam gluren wie er in de gang stond. Ze gaf Alise een hartelijke knuffel.

'Dag schat! Wil jij wat behoorlijks eten?'

Dat zei ze altijd als Alise kwam.

'Nee, dank u. Vandaag niet.'

De moeder van Rebekka keek verbaasd en een beetje teleurgesteld. Ze was er namelijk van overtuigd dat het Noorse eten niet deugde. Het had geen kleur en geen smaak. Daarom zag ze het als haar persoonlijke opdracht om de vriendinnen van haar kinderen ten minste een paar keer per week behoorlijk voedsel aan te bieden. Ze gaf Alise een tikje tegen haar wang.

'Ben je ziek?'

'Geweest! Laat nu maar', lachte Rebekka en ze trok Alise mee.

'Twee minuten!' riep Rebekka's moeder hen na. 'Niet langer. Ik heb je nodig in de keuken!'

Alise vertelde zo snel als ze kon. Twee minuten waren twee minuten, ze kende Rebekka's moeder. Ze vertelde hoe zij en Lasse het paard naar de boerderij aan de rand van de stad hadden gebracht.

Over Elias Hiort, die plotseling was opgedoken en het paard wilde laten afmaken. Over Lasse, die twee dagen had gekregen om te bewijzen dat het paard betrouwbaar was, maar nu in het ziekenhuis lag. En over haar angst dat ze het paard zouden slachten voordat Lasse genezen was.

Rebekka keek haar met grote ogen vol ongeloof aan.

'Wow!' steunde ze. 'En mij heb je niks verteld?'

Alise protesteerde.

'Ik vertel het je nu toch! Je moet me helpen denken. Elias Hiort komt morgen.'

Rebekka's moeder stak haar hoofd om de hoek en trok Rebekka aan de mouw van haar trui mee. Rebekka gebaarde 'ik bel je nog' voordat ze verdween. Alise bleef hulpeloos achter. Wat nu? Ze zou toch met Rebekka praten? Even twijfelde ze of ze zou blijven eten, maar ze besloot uiteindelijk om het niet te doen. Er viel immers niet te praten op een luidruchtig verjaardagsfeest.

De dichte regen hing als een gordijn tussen Alise en de rest van de wereld. Ze had zich in een deken gewikkeld en zat op het balkon op Lasses bed. Alle hoop dat hij morgen uit het ziekenhuis zou komen, was weg. Mama had gezegd dat het nog een poosje zou duren. Zijn hart reageerde niet op de medicijnen zoals ze verwacht hadden. Nu moesten de dokters proberen uit te vissen waarom.

Mama deed de balkondeur op een kier open en vroeg of Alise pizza kwam eten en met hen tv wilde kijken. Alise had geen zin. Ze wilde nu geen televisie kijken, ze had te veel om over na te denken.

'Kan ik je iets vragen?' vroeg ze.

'Doe gerust!' Mama kwam op het balkon.

'Wat gebeurde er eigenlijk met Trigger, dat paard van Lasse?'

'Huh...?' Mama was zichtbaar overrompeld door de vraag.

'Je vertelt nooit iets over toen! Alsjeblieft?'

'Hoor eens, daar heb ik echt geen tijd voor, Alise. Kom nu eerst eten!'

Alise draaide zich van haar weg. Waarom reageerde mama altijd zo... zo kribbig?

'Kom dan als je honger krijgt', besloot mama voordat ze weer naar binnen ging.

Het enige dat Alise over mama's kindertijd wist, was dat haar moeder stierf toen ze klein was. En verder dat ze veel paarden hadden en dat mama daar doodsbang voor was. Geen leuke of droevige verhalen, geen herinneringen. Niets wat kon verklaren waarom alles was zoals het was tussen haar en Lasse.

14.

Het flauwe schijnsel van hun fietslichten was amper te zien op het natte, zwarte asfalt. Alise wist niet wanneer Elias Hiort precies zou komen en ze wilde in geen geval te laat zijn. Daarom was het nog donker toen ze met Rebekka de helling van Blystad afreed en over de kronkelende weg naar de stal van Wenche fietste. Onder haar jas droeg Alise de halster. Niet dat ze wist wat ze ermee kon doen, maar het voelde goed om een stukje Lasse bij zich te hebben.

De vorige avond hadden zij en Rebekka lang met elkaar gebeld en een driedelig plan opgesteld. Punt één was dat Lasse uit het ziekenhuis kwam en de hele situatie zou redden. Dat was het minst waarschijnlijke van de drie.

Punt twee was om de wet te gebruiken. Er bestonden namelijk strenge regels voor het afmaken van paarden. Vooral als er geld, verzekeringen en dergelijke mee gemoeid waren. Dat had Rebekka op internet gevonden. Dus als Elias Hiort zijn papieren niet in orde had, was dat het sterkste wapen dat ze konden gebruiken.

Punt drie was zeggen dat ze op de hoogte waren van de mishandelingen. Alise hoopte dat ze niet tot dat punt kwamen. Hiort zou vast en zeker woedend worden en ze konden het immers niet bewijzen. Dat was het griezeligste en laatste onderdeel van het plan.

Alise en Rebekka fietsten tot aan de omheinde loopruimte. Trigger stond helemaal aan het andere eind en leek te slapen.

'Goh, ik was vergeten hoe groot hij was!' zei Rebekka vol ontzag. 'Ik begrijp niet dat jij dit durft, heel deze paardengeschiedenis.'

Alise glimlachte vluchtig. Als ze geen antwoord gaf, vertelde ze ook geen leugen.

'Roep hem eens!' zei Rebekka. 'Jou kent hij.'

Alise wachtte even voor ze antwoord gaf.

'Sst. Hij slaapt.'

'Slaapt hij?' fluisterde Rebekka. 'Zomaar rechtop? Dat trucje wil ik wel leren. Best handig voor op school!'

De stal was op slot, maar aan de andere kant van het erf brandde licht in het huis van Wenche. Het was bijna acht uur, dus ze zou bijna beginnen met voeren en dan konden ze zich binnen wat opwarmen.

Alise en Rebekka zaten rillend op de stoep voor de stal te wachten toen een oude, grauwbruine vrachtwagen rammelend het erf op reed. Hij parkeerde vlak voor hun neus en werd gevolgd door een grote, donkere jeep.

Door het lawaai werd Trigger wakker. Hij strekte zijn hals en spitste zijn oren.

'DALEN SLACHTHUIS' meldden grote letters op de zijkant van de vrachtwagen.

'Aah, rattakattaa...' zei Rebekka langzaam. 'Daar heb je ze al!'

Alise kreeg kippenvel. Waarom kwamen ze met de wagen van het slachthuis aan, terwijl Lasse beloofd had dat hij het paard weer in orde zou krijgen? Geloofden ze hem niet? Of hadden zij alles van tevoren al beslist?

Terwijl de chauffeur uit de vrachtwagen stapte, zag Alise een geweer in de stuurcabine hangen. Gingen ze Trigger neerschieten? Waren ze helemaal gek?

'Is dat de paardenmevrouw?' Rebekka knikte naar Wenche, die op hen toe liep.

'Wenche!' Alise rende haar tegemoet. 'Ze willen hem neerschieten!'

'Wat zeg je nu?' Wenche keek verward naar Alise.

'Trigger!' zei Alise wanhopig. 'Je moet iets doen!'

Wenche knikte bedachtzaam. Ze leek onzeker over hoe ze de situatie moest aanpakken. Ze klemde haar lippen op elkaar en legde haar arm om Alise.

'We zullen eerst eens horen wat ze te vertellen hebben...'

Elias Hiort nam ruim de tijd voordat hij uit de auto stapte. Hij was blijkbaar aan het bellen.

Intussen kwam de chauffeur op hen toe om hen te begroeten. Hij vertelde dat hij Trigger een paar dagen geleden was kwijtgeraakt. Toen hij hem moest ophalen, had hij eerst gedacht dat het om een vergissing ging, dat dit het verkeerde paard was. Het zag er zo mooi en gezond uit. Vanuit zijn box keek het met gespitste oren wie voorbijkwam.

'Maar dat was voordat ze de deur opendeden. Toen ging het helemaal fout. Hij viel alles en iedereen aan die dichter dan een meter in zijn buurt kwam. Zoiets had ik nog nooit meegemaakt', zuchtte de chauffeur. 'Dit paard kreeg ik niet zonder slag of stoot in de wagen. Het zou vast en zeker zichzelf of anderen verwonden. Maar zo ver kwam het niet, want het paard rukte zich los en ging ervandoor nadat het de hele stal op zijn kop had gezet.'

'Dát,' hij wees naar zijn geweer, 'dát was niet geladen. Was het wel geladen, dan stond ik hier vandaag niet. En hij zéker niet...' De chauffeur knikte naar Trigger.

'Ze schieten toch niet zomaar paarden neer?' vroeg Wenche verontwaardigd.

De chauffeur lachte.

'Ben je gek? Dat is om te verdoven. Anders zou het er mooi uitzien!'

Rebekka was druk in de weer met haar fietstas. Toen Hiort eindelijk uit de auto stapte, duwde ze iets in Alises handen.

'Hier', zei ze. 'Hou vast!'

Het was een laken, een spandoek waarop met grote, zwarte letters stond geschreven: 'NEE TEGEN HET AFMAKEN VAN ROOFDIEREN!'

Rebekka had 'ROOF' doorstreept met rode viltstift, zodat er overbleef: 'NEE TEGEN HET AFMAKEN VAN DIEREN!'

'Dat is nog van de wolvendemonstratie', fluisterde Rebekka.

Alise moest giechelen, hoe bang ze ook was.

'Je bent getikt!'

'Hou het gewoon vast', fluisterde Rebekka.

Alise wist niet precies hoe het kwam, maar Elias Hiort straalde iets uit wat haar angst aanjoeg. Vorige keer ook al. Natuurlijk omdat hij de macht had om te beslissen of Trigger zou blijven leven of zou sterven, maar er was nog iets anders. Iets met zijn kleding? Zijn pak, de donkerbruine overjas zonder een enkele kreukel, de leren handschoenen en de bruingeruite, wollen sjaal? Gladgeschoren, kortgeknipt, perfect. Perfect! Dát was het! En het zelfvertrouwen. Hij liep over van zelfvertrouwen. Hij was er vast van overtuigd dat het afmaken van Trigger de enige juiste oplossing was. Zijn houding was zo vastberaden en zo perfect, dat iedereen automatisch geloofde dat wat hij zei ook perfect was.

Maar zijn gelach toen hij de protestwoorden van Rebekka zag, was verre van perfect. Hij hikte en proestte, en hij lachte met luide, piepende uithalen.

'Nu heb ik alles gehad', gierde hij. Hij bleef schateren terwijl hij naar de chauffeur knikte en Wenche overdreven hartelijk begroette. Toen liet hij zijn blik snel over het erf glijden.

'En waar is opa?'

'Hij is ziek', zei Wenche aarzelend. 'We hopen dat hij weer snel op de been is. Hè, Alise?'

'Hij mag misschien vandaag naar huis', loog Alise.

Hiort leek zich er niet veel van aan te trekken. Hij keek naar Trigger, die hem met opgeheven hoofd en opengesperde neusgaten aanstaarde.

'Samoia's Prins. Te bedenken dat het zo moet aflopen...'

Hij sprak de woorden tergend langzaam en eindigde met een diepe zucht.

'Ja, ja...' Hij sloeg zijn handen in de handschoenen ritmisch tegen elkaar. 'We zullen de boel eens in gang zetten!'

Rebekka stootte Alise aan. 'Punt twee!'

'Jullie mogen geen paard slachten zonder dat er een veearts aanwezig is! Dat zegt de wet.' Alise schreeuwde het ongeveer, gewoon door de spanning. 'Klopt, hè, Rebekka?'

'Ja!' Rebekka knikte.

'Het is correct wat de meisjes zeggen', mengde Wenche zich voorzichtig in het gesprek.

Elias Hiort glimlachte meewarig.

'Het spreekt vanzelf dat we een veearts bij ons hebben.'

Hiort wenkte naar de jeep. Nu pas merkten ze dat er iemand op de achterbank zat.

'We zijn hier klaar, Jens', riep Hiort.

De man die uit de auto stapte, was net zo keurig gekleed als Elias Hiort, maar slechts half zo groot. Hij droeg een klein, rond brilletje en zag er wat benepen uit toen hij zich voorstelde.

'Jens Hiort.'

Alise en Rebekka keken geschokt naar elkaar. Was dat zijn zoon? Mocht dat wel?

Rebekka wist niet of dit volgens de wet was. Ze had niet eens over deze mogelijkheid nagedacht. Alise staarde vragend naar Wenche. Die schudde spijtig haar hoofd.

'Er is geen wet die dat verbiedt.'

Elias Hiort, doortastend als hij was, gaf meteen de opdracht om de wagen van het slachthuis zo dicht mogelijk bij de omheinde ruimte te parkeren. Hij drukte de chauffeur goed op het hart dat ze deze keer geen enkel risico wilden nemen. Het paard zou zo vlug mogelijk een verdovende injectie krijgen.

Terwijl de chauffeur alles in gereedheid bracht, voelde Alise zich steeds wanhopiger worden. Ze wisten immers dat Trigger zich zo agressief gedroeg omdat hij mishandeld werd. Moesten ze gewoon toekijken terwijl de mishandeling ongestraft doorging en ze hem afmaakten? Ze kon er niet onderuit: ze moest overgaan tot het gevreesde derde deel van hun plan.

'Lasse zegt dat het paard mishandeld werd!'

De chauffeur liet het geweer zakken. Vader en zoon Hiort draaiden zich naar haar om. Ze hadden dezelfde scherpe, priemende blik.

'Zo, zegt hij dat?' zei Elias Hiort luchtig.

Hij gebaarde naar de chauffeur dat hij moest voortmaken. Alise had hun hoogste kaart uitgespeeld en Elias Hiort knipperde niet eens met zijn ogen! Dat was wat Lasse had voorspeld. Ze konden niet bewijzen dat het paard werd mishandeld en dat wist Hiort heel goed. Alise had zich nog nooit zo hulpeloos gevoeld. Rebekka legde haar arm om haar schouder en hield haar stevig vast.

Trigger gilde lang en hartverscheurend toen het schot viel. Zelfs toen Rebekka achteraf vertelde dat het slechts een korte knal was, als van een rotje, leek het Alise een explosie, alsof er naast haar een granaat ontplofte.

Trigger wankelde een paar passen vooruit en viel opzij, net zoals Lasse toen hij in de stal in elkaar gestort was. Lasse, die nu in het ziekenhuis lag en op Alise vertrouwde. Lasse, die erop rekende dat zij Trigger zou redden, zodat Hiort hem geen kwaad meer deed.

Ze kon nooit meer tegen Lasse praten. Hij was zo blij geweest met dit paard, zo blij met zijn nieuwe Trigger...

Alise leunde met haar hoofd tegen Rebekka en snikte het uit. De chauffeur legde een zeil met stevige riemen om het slappe paardenlijf. De riemen bevestigde hij aan een grote kraan op de wagen. Zo voorzichtig als hij kon, tilde hij Trigger van de grond en de kraan zwenkte hem hoog in de lucht naar de auto. Het grote, trotse paard hing ingepakt en vastgesnoerd boven hun hoofden. De manier waarop zijn benen levenloos uit het zeil bengelden, deed Alise denken aan een kadaver. Alles deed pijn, ze voelde het zelfs fysiek. Lasse had Trigger gered en nu zou hij toch sterven. Het was haar schuld.

De deuren klapten dicht en de grote vrachtwagen zette zich in beweging. Rebekka gaf Alise iets om haar neus in te snuiten. Waarschijnlijk een stuk van het spandoek.

'Kom nou, Alise. Kom!' zei ze ongeduldig.

'Wat bedoel je?' snikte Alise met verstikte stem.

'Ik ken een kortere weg!'

Door haar tranen heen staarde Alise verbaasd naar haar vriendin.

'Nou', zuchtte Rebekka, teleurgesteld door al dat onbegrip. 'Wij gaan het paard toch redden?'

15.

Iedereen die tijdens de gymles oriëntatieloop kreeg, wist waar Dalen lag. Vanaf het hoogste punt op de beboste heuvel keek je op het dorp neer.

Rebekka vertrok in zo'n vliegende vaart op haar oude fiets, dat Alise met haar tien versnellingen hard moest zwoegen om haar op de bosweg bij te houden. Met het geweerschot was al Alises vertrouwen verdwenen. Ze geloofde niet dat het nog iets uitmaakte als ze de vrachtwagen naar het slachthuis volgden.

De bosweg was meer een pad dan een weg en Alise verloor geregeld haar evenwicht, zodat ze met haar voeten steun moest zoeken op de grond. Rebekka fietste vastberaden verder en Alise kreeg steeds meer achterstand. Ze had geen fut meer. Ze zouden het nooit halen. Het was onzin.

Toen Rebekka merkte dat Alise niet volgde, fietste ze een stuk terug. Haar gezicht was rood van inspanning en ze deed moeite om haar woede te beheersen.

'Wat is er met je?' viel ze uit.

Alise voelde zich zo wanhopig, dat ze alleen maar wilde huilen.

'Het is te laat, Rebekka.'

'Dat is het zeker als jij zo zielig blijft doen', zei Rebekka genadeloos. 'Of je fietst wat harder of ik ga er alleen mee door.'

'Maar de auto...' snufte Alise.

'De auto moet twee keer zo veel afstand afleggen als wij, plus het nadeel van het verkeer erbij', zei Rebekka kort.

Ze begon opnieuw te fietsen en keek nijdig achterom naar Alise. 'Nou, kom je nog of niet?'

Alise droogde haar tranen met de mouw van haar jas. Rebekka had gelijk. Het was het enige dat ze konden doen. En ze moesten iets doen, want het was vijf voor twaalf. Alise wilde geen schijterd zijn. Ze kroop weer op haar fiets. 'Oké.'

Ze fietsten een eind zonder iets te zeggen, maar toen wilde Alise weten wat Rebekka eigenlijk gedaan zou hebben als ze alleen naar Dalen was gegaan. Ze wisten allebei dat Rebekka een overtuigde vegetariër was en nooit in haar leven een slachthuis zou binnenstappen!

Wortels en takken lagen kriskras over het pad. Het werd steeds smaller en moeilijker om te fietsen. Alise kon verschillende keren slechts op het nippertje een valpartij vermijden.

Ze trapte zo hard, dat ze er steken van in haar buik kreeg en er een beetje misselijk van werd.

Toen ze eindelijk het hoogste punt bereikten, waren ze allebei doorweekt van het zweet en zaten hun fietsbanden vol vochtige bosgrond. Alleen een lange, steil aflopende grasheuvel scheidde hen nog van Dalen. Er waren slechts twee grote gebouwen in het dorp en aangezien het ene de kerk was, kon het andere alleen maar het slachthuis zijn.

'Durven we dat wel, Rebekka?' vroeg Alise.

Haar hart ging tien keer sneller kloppen bij het zicht van het slachthuis.

'Nee', zei Rebekka eerlijk. 'Maar we moeten!'

*

Aan de voorkant van het slachthuis lag een groot binnenplein, omringd door een hoge muur. Een smeedijzeren poort deelde de voorgevel in tweeën. Boven de poort stond in reusachtige letters 'DALEN SLACHTHUIS'.

Alise en Rebekka zetten hun fietsen tegen een boom opzij van het pad. Met behoedzame passen liepen ze naar de poort. Er was geen mens te zien. Door de tralies zagen ze een soort omheining en helemaal achteraan iets wat op dierenhokken leek. Waarschijnlijk reden de vrachtwagens door de poort het plein op en laadden ze de dieren hier uit. Alise duwde voorzichtig tegen de poort. Hij bewoog geen millimeter. Rebekka veronderstelde dat het een automatische poort was, die alleen voor auto's openging. De deur vlak naast de poort zat ook potdicht. Het zou niet gemakkelijk zijn om hier binnen te komen. Het leek wel een fort! En van aanbellen was natuurlijk geen sprake. Ze moesten een andere toegang vinden.

Alise en Rebekka volgden de muur tot ze bij het gebouw van het slachthuis kwamen. Ze probeerden voorzichtig naar binnen te gluren, maar de ramen waren van spiegelglas en ze zagen alleen zichzelf. Waarschijnlijk om te vermijden dat mensen konden zien wat ze eigenlijk opaten, meende Rebekka.

Aan de achterkant van het gebouw vonden ze een kleinere deur met een afdakje en een brievenbus. 'Personeelsingang' stond er op een bordje. Alise pakte voorzichtig de klink vast en duwde hem langzaam naar beneden. Tot haar verbazing ging de deur open.

Ze stonden nu in een kleine hal met een glazen deur naar een vestiaire. Een andere deur leidde verder het gebouw in. Alise keek vragend naar Rebekka. Die knikte, ze moesten ermee doorgaan. De volgende deur was ook open en kwam uit op een lange, donkere gang met verschillende deuren.

Alise keek naar het einde van de gang. Daar moesten ze waarschijnlijk door om op het binnenplein te komen. Ze liepen op hun tenen langs de verschillende deuren tot ze bij een deur kwamen die op een kier stond. Daar waren mensen aan het praten. Alise en Rebekka hielden hun adem in terwijl ze dichterbij slopen en voorzichtig naar binnen gluurden. Er stond een grote, in het wit geklede slager met een bloederig, plastic schort. Over de vloertegels stroomde een beek van bloed naar een gat aan de zijkant. Toen de man een stap opzij deed, klemde Alise haar lippen op elkaar om het niet uit te schreeuwen. Aan een haak in het plafond hing een reusachtig dierenkarkas!

'Trigger...!' Alise snakte naar adem.

Rebekka legde haar hand over Alises mond en trok haar verder in de gang. Verstijfd van angst door dat afschuwelijke beeld en doodsbang om ontdekt te worden, duikelden ze een kamer binnen aan de overkant en sloten ze de deur achter zich. Zonder de greep over Alises mond los te laten, fluisterde Rebekka: 'Hou je koest! Dat was Trigger niet, waarschijnlijk een koe of zo. Zo ver kunnen ze nog niet zijn.'

Alise hapte luid naar adem toen Rebekka haar hand van Alises mond weghaalde.

'Weet je dat wel zeker?'

'Sssst, ja!'

De kamer waarin ze gevlucht waren, was ijskoud en donker. Ze tastten langs de muur naar een lichtknop of een uitgang. Pas na een hele tijd vond Alise een lichtknop en met een zoemend geluid knipperde een buislamp aan. Als de kamer van daarnet hun maag deed omkeren, was die niets vergeleken met wat ze nu zagen. Het leek alsof ze rechtstreeks in een horrorfilm waren beland. Overal om hen heen hingen koploze dierenkadavers in alle maten en gewichten. Vele rijen stijf bevroren bloederige vleesmassa's. Het was onmogelijk je te bewegen zonder ze aan te raken. Rebekka boog zich voorover en begon te braken. Alise sleepte haar kokhalzend naar een deur aan de andere kant.

'Niet kijken...' snikte ze. 'We zijn bijna buiten.'

Alise rukte krampachtig aan de deur. Hij zat op slot. Gelukkig vond ze een grendel aan de binnenkant. Rebekka en zij stootten allebei met volle kracht tegen de deur zodat ze bijna naar buiten tuimelden toen Alise eindelijk de grendel open kreeg.

Ze waren in de frisse lucht, maar de vleesstank hing nog in hun neus. De gruwelijke beelden bleven op hun netvlies gebrand. Rebekka en Alise zakten langs de muur omlaag en ademden diep in en uit, in de hoop dat ze op die manier die afschuwelijke geur zouden kwijtraken.

Ze zaten op het binnenplein van het slachthuis. Alise keek van de dierenhokken langs de muur naar de hekken in het midden. Ze ontdekte dat de vrachtwagen die Trigger had opgehaald aan de andere kant van de hekken geparkeerd stond. Dat betekende dat Trigger hier was. Ze moesten hem vlug zoeken zonder eraan te denken dat ze misschien te laat waren. Dat kón gewoon niet.

Alise en Rebekka liepen langs de hokken en keken naar binnen, maar ze waren leeg. Waar zou Trigger zijn? Toen ze aan de laatste rij hokken begonnen, hoorden ze iemand op het plein komen. Het waren de twee slagers met witte schorten en de chauffeur van de vrachtwagen. Alise trok de deur van het dichtstbijzijnde hok open, duwde Rebekka naar binnen en glipte achter haar mee.

'Ssst!' fluisterde ze hard.

'Bèèè!' kreeg ze als antwoord.

Alise draaide zich om en naast Rebekka in het zaagsel stond een dik, rond schaapje.

'Eindelijk een levend dier', mompelde Rebekka.

'Sssst', herhaalde Alise.

De chauffeur en de slagers namen blijkbaar een pauze. Ze hadden allemaal een kop koffie en waren niet gehaast. Vanaf waar ze zaten, kon Alise slechts flarden van het gesprek opvangen, maar ze begreep in elk geval dat de chauffeur vertelde over de heisa om

Trigger in de wagen te krijgen. Toen hoorden ze een doordringend gehinnik. De slachthuiswagen schommelde wild heen en weer. Zou het kunnen...?

'Trigger!'

Hij was het, ze herkende zijn geluid. Alise haalde opgelucht adem.

'Oh, Rebekka!' zuchtte ze terwijl ze haar handen stevig omklemde. 'Hij zal tot nu toe geslapen hebben!'

Trigger schopte en trapte als een gek tegen de wand van de vrachtwagen. De chauffeur duwde zijn koffiekop in de handen van een van de slagers en spande een touw van de vrachtwagen naar de hekken, zodat Trigger naar de omheinde ruimte geleid zou worden.

Trigger kwam struikelend uit de vrachtwagen en viel bijna om toen hij van de laadklep op de grond belandde. Verward wilde hij de nieuwe omgeving in zich opnemen, maar hij slaagde er niet in zijn hoofd rechtop te houden omdat zijn nek steeds leek te knikken. Daarom snoof hij maar wat suffig aan de grond. Het was pijnlijk om te zien, maar achteraf het beste wat er kon gebeuren. Na zijn vorige ervaring met Trigger had de chauffeur hem voor de veiligheid een ruime dosis verdoving toegediend. En nu hoorden ze de twee slagers erover discussiëren of het gevaarlijk was om Trigger vandaag nog te slachten of dat ze beter tot morgen konden wachten.

'Dat wordt pure slaapbiefstuk', hoorde Alise een van de slagers zeggen. De andere slager ging daar niet mee akkoord, maar de man van de slaapbiefstuk was de baas.

'Liever vandaag vroeger naar huis dan dit op iemands bord', zei hij. 'We zullen morgen terugkomen.'

De jongste slager klaagde dat hij dan zowel zaterdag als zondag moest werken, maar de baas had beslist. Het paard zou tot morgen moeten wachten.

Toen de auto's waren weggereden, waagden Alise en Rebekka zich terug op het binnenplein. Het schaap trippelde achter hen aan en bleef dicht bij Rebekka. Zij had zich met het dier beziggehouden en nu was het zeker doodsbang om weer alleen achter te blijven.

Alise keek naar Trigger. Hij stond nog steeds wankel op zijn benen.

Stel je voor dat ik het gewoon kon doen, dacht Alise. Gewoon naar binnen gaan en hem halen? Maar dat kon ze immers niet. Hoe zou ze dat ooit durven? Waarom had ze het zo ver doorgedreven! Waarom was ze blijven liegen tot het een zaak van leven of dood geworden was! Hoe kon ze zo dom zijn! Ze moest het aan Rebekka vertellen. Nu, meteen!

Ze ademde diep in, vastbesloten om te praten... maar liet de lucht zonder enig geluid weer uit haar longen stromen. Ze moest een keuze maken, nu of nooit. Of ze ging bij Trigger naar binnen of ze biechtte alles op aan Rebekka. Maar geen van beide leek haar mogelijk. Ze kneep hard in de halster en wilde dat ze zou flauwvallen, sterven, tot stukjes verpulveren of gewoon verdwijnen. Toen voelde ze de arm van Rebekka om haar schouders.

'Haal je paard, Alise', zei ze zacht.

Alises ogen werden vochtig toen ze Rebekka's blik vol vertrouwen zag. Dat kon ze niet maken. Ze mocht Rebekka de waarheid niet vertellen, want dan zou ze haar beste vriendin verliezen. Alise moest de gevolgen van haar leugens dragen. Ze moest de omheining binnenstappen en een poging wagen. Een eerlijke poging!

16.

Alise liep met angstige pasjes tot in het midden van de omheinde ruimte. Trigger stond helemaal aan het andere eind en liet zijn hoofd hangen. Eerst leek het of hij haar niet had opgemerkt. Als ze snel was, kon ze misschien achter hem komen en hem voortjagen. Maar ze was niet snel, ze was bang en traag. Lang voordat ze bij hem was, tilde hij zijn hoofd op en keek hij in haar richting. Hij proestte kribbig, keerde zich plotseling om en liep als een woeste dronkaard op haar toe. Alise draaide zich bliksemsnel om en rende zo hard ze kon terug. Hijgend kroop ze tussen de planken van de omheining door.

'Oei!' Rebekka keek verbaasd naar Alise. 'Wat gebeurde er?'

'Eh...' stamelde Alise buiten adem. 'Eh...'

'Werd je bang omdat hij zo vreemd deed?' Rebekka was echt bezorgd.

'Nee!' antwoordde Alise vlug. 'Ik maakte eventjes een fout.'

Natuurlijk was ze bang, doodsbang zelfs, maar daar mocht ze nu niet aan denken. Ze moest teruggaan en precies doen zoals Lasse op het basketbalveld. Ze zou de halster gebruiken en geen seconde laten zien hoe afschuwelijk bang ze was. Dat zou ze doen. De beslissing was genomen. Toen ze de omheinde ruimte weer in klauterde, straalde haar houding veel meer vastberadenheid uit dan daarnet. Ze liep met korte pasjes naar het midden en slaagde erin om achter Trigger te komen voordat hij haar kon aanvallen.

'Jiihaaaa!' gilde ze en ze sloeg naar hem met de halster. Ze was helemaal niet van plan geweest om zo te krijsen, maar door de spanning had ze haar stem niet onder controle. En het werkte! Trigger sprong op en liep naar de omheining toe.

'Jiihaaaa!' herhaalde Alise en ze liep naar Trigger, steeds met de halster voor zich uit zwaaiend. En ja, Trigger begon langs de omheining te draven! Alise hoefde maar een paar passen om zichzelf te draaien, met de halster te zwaaien en 'jiihaaaa!' te roepen om hem aan de gang te houden. Het gaf haar een ongelooflijk goed gevoel. Dat dit echt lukte, was bijna magisch!

Trigger werd snel moe en ging over in een sukkeldrafje. Alise werd opnieuw bang, want nu moest ze hem zo ver krijgen dat hij de andere richting uit zou lopen. Lasse had veel meer tijd nodig gehad, maar toen was de situatie anders, want op het basketbalveld was Trigger wakker en wild. Alise sprak zichzelf opnieuw moed in. Als ze nu dichter naar Trigger toe ging, zou ze zo lopen dat het leek alsof zij vóór hem was. Dan kon zij hem dwingen om te keren.

Toen ze in de juiste positie stond, schreeuwde ze en haalde ze weer met de halster naar hem uit. Trigger draaide zich vlug om en begon in de andere richting te lopen. Hij was echt uitgeput. Zijn hoofd viel voortdurend naar beneden en hij liep moeizaam, met ongelijke tred. Hij maakte slechts een paar rondjes voordat hij met zijn hoofd op en neer begon te knikken. Dat was het teken dat hij wilde praten. Alise hield op met jagen en draaide zich minder snel om. Trigger liep nu stapvoets. Hij wipte voortdurend met zijn hoofd en maakte kauwbewegingen met zijn kaken. Uiteindelijk stond hij helemaal stil en keek hij naar Alise. Ze voelde haar hart sneller slaan. Mooie, knappe Trigger! Stel je voor dat het haar echt lukte, dat hij bij haar kwam, net zoals bij Lasse.

Ach, alsjeblieft, laat het goed gaan, dacht Alise terwijl ze de laatste moedige beslissing nam en op één knie ging zitten, zoals ze

Lasse had zien doen. Elke spier in haar lichaam was gespannen. Trigger voelde zich nog steeds verward, dat merkte Alise duidelijk. Ze wist dat ze nu een groot risico nam. Of hij kwam aangeslenterd of hij viel haar aan en zou haar doodtrappen. Ze wachtte bang af. Trigger draaide zich naar haar toe. Met stijve passen begon hij aan de paar meters die hen van elkaar scheidden. Alise zat doodstil. Nu mocht ze geen plotselinge beweging maken, hem nergens door afschrikken. Lasse had zich niet bewogen voordat Trigger hem aanraakte, dat had ze onthouden. Ze sloot haar ogen en concentreerde zich op één woord.

'Kom', herhaalde ze in zichzelf. 'Kom, kom, kom...'

Toen Alise de warme paardenadem tegen haar haren voelde, was het alsof er iets in haar knapte. De tranen stroomden over haar wangen. Ze voelde zich uitgeput en tegelijk opgelucht en dankbaar.

Trigger snoof aan haar haren, beet er speels in en hinnikte zacht en vriendelijk. Alise wist wat hij zei. Ze begreep het gewoon zonder dat ze kon verklaren waarom.

Hij zei: 'Ik ben je vriend. Wil jij ook mijn vriend zijn?'

Alise stond op en begon Trigger te strelen, zoals ze Lasse had zien doen. Met trage, geruststellende bewegingen. En in elke beweging, in elke aanraking, zat haar antwoord: 'Ja, ik ben jouw vriend. Vertrouw op mij!'

17.

Het was bijna helemaal donker toen Alise eindelijk de halster bij Trigger kon aandoen. Het zou een hele klus worden om zonder licht het pad door het bos te vinden. Maar ze hadden geen keuze, want langs de weg was het te gevaarlijk.

Trigger liep langzaam en met gebogen hoofd naast Alise. De verdovingsmiddelen eisten hun tol, zijn lichaam had tijd nodig om te bekomen.

Rebekka sleepte naast hun twee fietsen ook haar nieuwe vriend mee de steile helling op. Het schaap week geen duimbreed van haar zijde, maar voor alle veiligheid had Rebekka haar Palestijnse sjaal als leiband om de nek van het dier gebonden.

Ze liepen in de richting van Blystad, hoewel Alise nog niet wist waar ze heen zouden gaan. Waar kon ze met een paard in de stad naartoe? Als ze tussen de woonblokken liepen, was er altijd wel iemand die hen zou opmerken. Dat risico mochten ze niet lopen. Want ze besefte goed dat wat ze nu gedaan hadden, strafbaar was. Ze hadden een paard gestolen – én een schaap.

'Denk je dat we hiervoor de gevangenis in moeten?' riep Alise achterom naar Rebekka.

'Gevangenis? Paardendieven worden opgehangen! In elk geval in westerns...'

Alise begreep dat Rebekka een grapje maakte, maar de spanning in haar buik verdween niet. Ze mochten niet opgepakt worden. Niet voordat Lasse uit het ziekenhuis kwam. Eerst moest hij met

Trigger trainen en bewijzen dat het paard berijdbaar was. Dan zou iedereen begrijpen dat het gemeen was om Trigger dood te maken, dat het Hiort alleen maar om het geld van de verzekering te doen was. En dan zouden zij en Rebekka hopelijk worden vergeven.

Aan Wenche hulp vragen was uitgesloten. Die zou meteen Elias Hiort opbellen. Niet uit slechte wil, maar omdat al zijn papieren in orde waren en ze hem dus niets kon verbieden. Nee, Alise moest zelf een schuilplaats vinden met water en voedsel voor de dieren. En ook iets te eten voor haar en Rebekka. De enige plek die Alise kon bedenken buiten de parkeerplaats, die ze meteen afwees, was de dronkenmanshut – een oud krot in het bos, slechts vijf minuten van de woonblokken. Vroeger woonden daar tijdens de zomer dronkenlappen. Het leek Alise niet erg aanlokkelijk om daarheen te gaan. Het was een van die verboden plekken waarvoor volwassenen hun kinderen altijd waarschuwden. Er hing een akelig sfeertje rond die hut, maar voorlopig kon Alise niets beters bedenken.

Ze beslisten dat Alise met Trigger en het schaap aan de rand van het bos zou wachten, bij de parkeerplaats achter de woonblokken. Rebekka zou vlug naar huis gaan om water en andere noodzakelijke spullen te halen.

Trigger was nog steeds erg rustig. Alise vroeg zich af of het door de verdoving kwam of dat dit zijn normale gedrag was wanneer hij zich veilig en tevreden voelde. Ze leunde tegen de zachte paardenhals. De warmte van zijn vacht gaf haar een geruststellend gevoel.

Trigger stond stil en rukte aan een paar grassprietjes op de heuvel, maar het schaap was ongeduldig. Het blaatte steeds vaker en steeds indringender. Alise werd bang dat iemand hen zou horen, want ze stonden gevaarlijk dicht bij de flatgebouwen.

Eindelijk zag ze Rebekka aankomen, zwaar beladen met een rugzak en een emmer. Alise vroeg zich af of ze haar tegemoet zou lopen, toen ze het gebrom van een motor hoorde. Het waren Hockey,

Eirik en Sebben. Weer met z'n drieën op de brommer. Rebekka had hen waarschijnlijk ook gehoord, want ze versnelde haar pas. Maar de jongens haalden haar in voordat ze de parkeerplaats kon oversteken. Alise trok de dieren wat verder het bos in. Ze zag de brommer om Rebekka heen cirkelen en ze hoorde de schrille lach van Eirik.

Het schaap begon opnieuw te blaten en trok zich niets aan van Alises wanhopige pogingen om het stil te krijgen. Nu hadden de jongens het zeker ook gehoord, want ze keken in haar richting. Alise probeerde het schaap tot bedaren te brengen, maar het ging koppig door. En toen ze het dieper het bos in wilde trekken, maakte het zulke wilde sprongen dat Alise haar grip op de sjaal verloor. Het schaap rende meteen naar beneden, naar Rebekka, met de Palestijnse sjaal achter zich aan wapperend. Alise hoorde de jongens rauw lachen toen ze het schaap zagen, maar ze durfde niet te wachten om te zien hoe het af zou lopen. In plaats daarvan haastte ze zich naar de dronkenmanshut. Ze hoopte dat Rebekka het alleen zou redden. Het belangrijkste was dat de jongens Trigger niet ontdekten, want Alise wist waartoe zij in staat waren.

De dronkenmanshut was echt een bouwvallig krot. Alise had de hut ooit van een afstand gezien, maar nu merkte ze dat het eerder een ruïne dan een hut was. Eén muur was gedeeltelijk ingestort en alle ramen waren open gaten. Maar er was een dak boven en dat was precies wat ze nodig hadden. Alise was niet echt bang in het donker, maar ze wilde liever geen dronkenlap of zwerver tegenkomen. Daarom kruiste ze haar vingers toen ze de hut heel voorzichtig naderde. Ze keek naar binnen. Op de drie rechtopstaande muren zaten nog flarden behang en er bengelde een lamp aan een haak in het plafond. Maar de plek was gelukkig helemaal verlaten, dus konden ze hier in elk geval een poosje blijven. Ze moest zo snel mogelijk met Lasse praten. Misschien kon hij regelen dat ze Trigger naar Het Pleintje brachten. Maar dat was ook geen oplossing. Als Alise maar met hem kon praten, dan zou hij zeker een uitweg vinden. Ze verheugde zich er al op om hem alles te vertellen. Hij zou zo trots op haar zijn! Ze had het met Trigger voor elkaar gekregen en de achtervolging precies gedaan zoals hij haar had geleerd.

Eindelijk kwam Rebekka. Ze sleepte een loodzware rugzak mee vol waterflessen, dekens en een groot lunchpakket en droeg ook een emmer van tien liter. Rebekka vertelde dat Hockey het schaap Arafat gedoopt had vanwege de Palestijnse sjaal. Ze lachten er samen om. Het gaf een goed gevoel om die pestkoppen te slim af te zijn.

'Zullen we die naam houden?' vroeg Alise.

Toen lachte Rebekka nog harder.

'Het is een schaap, Alise! Dat is toch vrouwelijk? We kunnen het Stina noemen, van Palestina.'

Rebekka had zich eruit gepraat met het smoesje dat ze aan een stads- en plattelandsproject voor school werkte. En toen de jongens Stina wilden pesten, had Rebekka gezegd dat het schaap gevaarlijk was en met de hoorns kon stoten!

'En toen gingen ze ervandoor', lachte ze. 'Stoere woorden, maar kleine hartjes!'

Ze gaven de dieren een plek onder het afdak. Alise vond een restje touw boven het raam, waar ooit een gordijn had gehangen. Het was net lang genoeg om Trigger aan een balk vast te binden. Hij had gretig van het water gedronken en de emmer was bijna helemaal leeg. Nu leek hij staande te slapen.

Alise en Rebekka deelden het lunchpakket met Stina. Rebekka had tegen haar moeder gezegd dat ze bij Alise zou slapen. Die had geen verdere vragen gesteld, omdat ze minstens één keer per week bij elkaar logeerden. En dat ze eten meenam was heel normaal, aangezien haar moeder vond dat ze nergens anders behoorlijk te eten kreeg dan thuis.

Het was pas iets over vijf, maar toch al aardedonker. Zo donker als het alleen maar in november kan zijn voordat er sneeuw komt. Alise liet Rebekka niet graag alleen achter. Ze wist hoe bang Rebekka in het donker was. Maar Alise moest bij Lasse op bezoek en thuis vertellen dat ze bij Rebekka bleef slapen.

'Ik vind het niet leuk, maar ik overleef het wel', zei Rebekka dapper. 'Stina zal voor me zorgen.'

Alise omhelsde haar vriendin.

'Bedankt, Rebekka. Ik zal de hele weg rennen. Beloofd!'

18.

‘Lasse! Het is ons gelukt!’

Alise stormde zijn ziekenhuiskamer binnen. Lasse gaf geen antwoord. Hij lag met gesloten ogen en zijn mond halfopen. Alise liep tot aan zijn bed. Ze aaide hem voorzichtig over zijn arm.

‘Je moet wakker worden, Lasse. We hebben Trigger!’

Lasse ademde heel langzaam, alsof hij in een diepe slaap was. Goed, dan zou ze wachten. Ze moest echt met hem praten.

Alise ging aan het voeteneind van zijn bed zitten, zodat ze meteen zou zien wanneer hij wakker werd. De tijd verstreek in een slakkengang. Elke keer als ze naar de klok keek, waren er slechts twee of drie minuten voorbij. Ze kon hier toch niet doelloos blijven wachten terwijl Rebekka alleen met de dieren in het bos zat! Alise liep naar de wachtdienst en vroeg aan een wat oudere verpleger of ze Lasse niet wakker konden maken. Maar die was zeer verontwaardigd en wilde daar niets over horen. Lasse had rust nodig en Alise mocht hem in geen geval wekken. Ze moest morgen maar terugkomen, dan zouden ze wel zien hoe de zaken ervoor stonden. De verpleger klemde zijn lippen op elkaar en keek haar boos aan. Toen Alise haar mond opendeed om iets te zeggen, kneep hij één oog dicht en sperde het andere wagenwijd open. Brr, wat een griezelig gezicht!

Alise had er zich zo op verheugd om alles aan Lasse te vertellen. Ze had op hem gerekend voor verdere plannen, maar dat viel nu in duigen. Wat moesten ze doen? Zij en Rebekka konden overdag niet in het bos blijven...

De verpleger stond haar met zijn handen in zijn zij aan te staren. Toen ze langzaam door de gang slofte, volgde hij. Bij de deur naar buiten draaide Alise zich om. De verpleger was er nog steeds. Ze moest dus wel vertrekken.

*

Gelukkig nam papa de telefoon op toen ze naar huis belde. Hij weigerde bijna nooit iets. 'Amuseer je maar, meisje', zei hij. 'Slaap lekker en doe de groetjes aan Rebekka.'

Alise voelde haar geweten een beetje knagen omdat ze loog, maar ze had geen andere keuze. Als ze de waarheid vertelde, zou ze nooit toestemming krijgen om hier te blijven overnachten. Hij zou het eens moeten weten: zij met Rebekka, een gestolen paard en een schaap in de dronkenmanshut!

*

Alise en Rebekka zaten ieder in een deken bij een vuurtje dat ze met veel moeite aan de gang hadden gekregen. Rebekka was dolblij toen Alise terugkwam. Ze was zo bang geweest dat ze niet wist wat ze met zichzelf moest beginnen. Nergens voelde ze zich veilig: buiten konden er elanden of enge mensen opduiken en binnen stond dat grote paard! Uiteindelijk had ze besloten om geregeld van locatie te wisselen.

'Als het buiten te griezelig werd,' zei ze giechelend, 'dan ging ik naar binnen. En als Trigger te veel bewoog, liep ik weer naar buiten.'

Alise had nog nooit onder de blote hemel geslapen. Nu lag ze op een bed van dennennaalden op de koude bosgrond. Ze keek omhoog naar de flikkerende sterren. Ergens daarboven was een sterrenteken dat Trigger heette en op een paard leek. Dat had Lasse haar een keer laten zien, maar ze kon het niet terugvinden. Rebekka had daar nog nooit van gehoord, zei ze. Maar ze kende wel de Grote en de Kleine Beer. In Chili, vertelde ze, stond alles ondersteboven. Het was precies dezelfde sterrenhemel, maar op zijn kop.

Alise herinnerde zich plotseling dat het paardsterrenbeeld in een andere taal Pegasus heette. Het stelde een paard met vleugels voor dat van de aarde naar de godenwereld vloog. Maar Rebekka kende het nog steeds niet.

'Een paard met vleugels', zei ze enthousiast. 'Wat geweldig! Dan kun je kiezen hoe je rijdt: in draf, in galop of in de lucht. Gewoon te gek!'

Alise giechelde slaperig. Haar ogen vielen dicht en ze voelde alle kracht uit haar lichaam vloeien, alsof er iemand een gaatje in had geprikt.

Morgen moest ze op een of andere manier eten voor Trigger vinden. Misschien kon ze wat hooi lenen in de stal bij Wenche en een verhaal verzinnen over een konijn of zo. Maar eerst moest ze met Lasse praten. Zou hij een dagje uit het ziekenhuis mogen als hij het vroeg? Dat gebeurde wel meer. Vorig jaar had haar juf dat gedaan toen ze in het ziekenhuis lag. De juf was op bezoek gekomen in de klas, met toestemming van de dokter. Dat zou Lasse toch wel willen, een dagje uit vragen?

'Wat was dat?' schrok Rebekka.

Alise keek verward opzij. Rebekka wist zeker dat ze iets gehoord had. Alise was te moe om zich te laten opschrikken door een krakende tak. Maar Rebekka duidelijk niet.

'Zijn er elanden hier? Of wolven?' vroeg ze angstig.

'Weet ik niet.'

'Mag ik dicht bij jou slapen, voor het geval dat?'

'Mmm.'

Rebekka schoof naar Alise toe en nestelde zich tegen haar rug.
'Bedankt voor je hulp vandaag', mompelde Alise.
'Jij was de held', fluisterde Rebekka terug.

19.

Toen Alise de volgende dag in het ziekenhuis kwam, was mama er al.

Het groene linoleum in de gang glom als een spiegel en het was zo stil als alleen een zondagochtend kan zijn. Af en toe knipperde er een lamp boven een deur en kon ze een zacht gezoem horen bij de wachtdienst. Daarna kwam er altijd snel een verpleger aan. Verplegers hadden een heel speciale manier van lopen. Bijna alsof ze door de gang zweefden en deuren op hun teken geluidloos open- en dichtgingen.

'Wat leuk dat je komt', zei mama. 'Ik dacht dat je bij Rebekka zou blijven.'

'Ik had zin om met Lasse te praten', zei Alise. 'Over Trigger. Is hij wakker?'

Mama schudde haar hoofd.

'Nog niet. Over Trigger?'

'Ja', aarzelde Alise. 'Er is zo veel wat ik niet weet. Hoe liep het eigenlijk af?'

'Ach, dat is niet echt een vrolijk verhaal', zei mama terughoudend.

Ze wreef met haar wijsvinger over haar neusrug en keek met een afwezige blik langs Alise heen.

'Lasse heeft verteld dat Trigger het enige paard was dat hij mocht houden.'

Mama schudde haar hoofd.

'Heeft hij ook gezegd dat hij alles verloor wat hij bezat? Dat Trigger de nieuwe kostwinner werd?'

Nu schudde Alise haar hoofd.

'Nee, dat niet.'

'Papa was altijd een avonturier in hart en nieren. Toen zijn bedrijf failliet ging, besloot hij om zijn eigen show op te zetten, samen met Trigger. Dat paard was immers heel bijzonder. Hij deed alles wat papa hem vroeg. Het werd een enorm succes en overal waar ze optraden, stroomden de mensen toe. Ik weet niet hoe hoog paarden tegenwoordig springen, maar die twee sprongen het hoogst in heel Noorwegen en ja, misschien zelfs in de wereld. Het was echt spectaculair. Hoe verder ze op het parcours kwamen, hoe hoger de hindernissen werden. Bij de laatste en dus de hoogste hindernis was een boog gespannen, die ging branden als ze erdoorheen sprongen. Er ging een golf van verrukking door het publiek wanneer papa en Trigger door de vlammen vlogen.'

'Dat moet geweldig geweest zijn', zei Alise.

Mama keek haar met een scherpe blik aan.

'Geweldig? Ik was elke keer doodsbang!'

Mama kreeg tranen in haar ogen, maar knipperde ze weg en ging verder met haar verhaal. 'Op een zomerse avond deden ze hun show op een grote openluchtmarkt op het platteland. Ik was er. En ik zag het aankomen. Al bij de derde hindernis bleef Trigger haperen, wat hij anders nooit deed. De hindernissen waren te dicht op elkaar gezet, ze kwamen te snel. Maar papa en Trigger waren zo op elkaar ingespeeld dat ze erin slaagden om de aanloop bij te sturen, zodat ze er toch overheen kwamen. Het ging een tijdje goed, tot ze bij de op twee na laatste hindernis kwamen. Ze hadden geen kans. Die hindernis stond veel te dicht bij de volgende. Trigger kwam vallend neer en kon geen stap meer zetten voor de volgende sprong. De planken kraakten en de versieringen vlogen door de lucht. De laatste hindernis, die pas zou branden wanneer ze erdoorheen sprongen, werd door een vallende versiering geraakt en vatte vlam. Midden in die chaos lag papa hulpeloos op de grond. Bijna elk bot in zijn lichaam was gebroken. En Trigger werd gek van angst en pijn. Hij had een voorbeen gebroken en niemand kon hem rustig krijgen. Hij strompelde door de brandende hindernissen en gilde zodra iemand probeerde hem te benaderen. Papa riep dat ze hem niet mochten opjagen, maar ze luisterden niet. Het laatste wat hij zag voor hij zijn bewustzijn verloor, was dat ze zijn paard neerschoten. Trigger betekende alles voor papa...'

Alise sloeg haar armen om mama heen. Ze wou dat ze dit eerder had geweten. Nu kon ze zo veel beter begrijpen waarom mama paarden haatte, waarom Lasse zo aan Het Pleintje verknocht was en waarom er zo veel gevoeligheden tussen hen beiden waren.

'Arme Lasse', fluisterde ze. 'En arme mama...'

'Hij is er nooit overheen gekomen', zei mama. 'Nooit.'

Ze hielden elkaar nog steeds vast toen er een aantal dokters en verplegers uit de kamer van Lasse kwamen. Mama haastte zich achter hen aan en Alise glipte de kamer binnen. Ze was benieuwd naar zijn gezicht als ze zou vertellen wat ze had gedaan.

Maar hij sliep! Alise begon bijna te huilen van teleurstelling. Waarom lag hij altijd te slapen? Het was ochtend! Moest hij niet ontbijten? Ze konden haar nu toch niet weigeren om hem te wekken? Hij zou vast wel een kopje koffie willen drinken!

Alise voelde dat ze de moed verloor. Was er misschien iets aan de hand? Of had ze gewoon de stomme pech dat hij telkens sliep als ze langskwam? Dan moesten ze hem maar wakker maken. Alise haastte zich naar de gang. Mama stond bij de wachtdienst met een dokter te praten.

'Mama!'

Mama leunde tegen de muur en deed zwijgend haar vinger tegen haar mond.

'Mama!' Alise kneep mama stiekem in haar arm. 'Mogen we Lasse wakker maken?'

Maar mama antwoordde niet. De dokter klopte haar vriendelijk op haar schouder en zei dat ze de rest van de dag contact zouden houden.

'Wat is er?' vroeg Alise.

Ze zag dat mama tranen in haar ogen had.

'Is er iets gebeurd?'

Mama zei niets, maar ze boog zich voorover en trok Alise tegen zich aan. En op dat moment viel Alises blik op het tv-scherm van de wachtdienst. Het beeld werd gevuld door een grote foto van Trigger.

Mama streelde Alise over haar haren. 'Ik moet je iets vertellen...'

'Wacht even!' Alise rukte zich los en liep de kamer binnen. Een journalist interviewde Elias Hiort over Trigger. Hiort vertelde dat het paard voor de tweede keer uit het slachthuis was weggevlucht. Volgens hem was het een krankzinnig beest dat levensgevaarlijk was.

'Ik loof een beloning van tienduizend kronen uit aan wie het paard vindt. Of het dood of levend is, maakt niet uit.'

Alise kon haar oren niet geloven. Hoe durfde hij zoiets te doen! Aan de andere kant had ze niets anders verwacht. Elias Hiort zou zich nooit zomaar gewonnen geven!

Hiort vertelde dat het gevaarlijke paard al een onschuldig meisje had verwond. En daar verscheen warempel Vivian met een lijdende blik op de televisie! Hij zei ook dat op dit ogenblik gewapende mannen van de Vereniging voor Wildbeheer op zoek waren naar het dier. De journalist voegde eraan toe dat er merkwaardig genoeg ook een schaap uit datzelfde slachthuis was verdwenen. Men wist voorlopig nog niet of er een verband tussen de twee verdwijningen bestond.

Alise liep de kamer uit. Achter zich hoorde ze mama roepen.

Voor het ziekenhuis botste Alise bijna tegen papa aan, in uniform, met Jacob aan zijn hand.

'Papa, zeg tegen mama... zeg dat ik absoluut met Lasse móét praten zodra hij wakker wordt. Zeg haar dat, het is belangrijk!' Alise praatte zo snel dat ze over haar woorden struikelde. Papa keek haar een beetje verward aan.

'Beloof het!'

'Ja, maar...' begon hij aarzelend.

'Bedankt!'

'Waar ga je naartoe?' riep hij haar achterna.

Alise nam niet de tijd om te antwoorden. Ze zwaaide naar hem zonder zich om te draaien.

Ze spurtte over de parkeerplaats, nam het steile pad dat naar de tunnel onder de autoweg leidde en rende weer omhoog naar de smalle, bochtige weg die langs Wenches boerderij naar Blystad ging.

20.

Het erf voor de stal was stil en verlaten. Wenches auto stond ook niet op zijn gebruikelijke plaats. Eindelijk een beetje geluk, dacht Alise.

Ze haastte zich naar de hooischuur, waar de hooibalen keurig lagen opgestapeld tot tegen het dak. Ze waren enorm, bijna zo groot als Alise zelf. Het zou haar nooit lukken om een volledige baal mee te krijgen. Aan een van de balken hingen de grote zakken die Wenche gebruikte om te voeren. Alise was nu wel verplicht om er een te lenen. Ze probeerde het akelige gevoel dat ze iets vreselijks verkeerds deed, opzij te schuiven. Dit was ronduit diefstal, maar het was voor een goed doel. Kon dat het niet een beetje goedmaken?

Op dat moment hoorde ze het geluid van een motor. Door een kier in de plankenmuur zag ze dat Wenche haar auto op het erf parkeerde. En Vivian stapte ook uit! Waren ze met z'n tweetjes naar die televisietoestand geweest? Wenche en Vivian bleven samen voor de schuur praten. Alise zat muisstil en hoopte dat ze niet ontdekt werd. Wenche en Vivian zouden natuurlijk meteen doorhebben waar ze mee bezig was. Eindelijk ging Wenche naar het woonhuis en Vivian verdween in de stal. Nu kreeg Alise een kans. Ze kon via de poort en de laadbrug verdwijnen in plaats van door de stal en dan kwam ze meteen op de weg uit. Ze sleepte het hooi naar de grote schuurpoort. De zak was te zwaar, zo zou ze het nooit halen. Ze moest er wat hooi uithalen. Maar dat nam tijd in beslag en zo veel tijd had ze niet. Want Wenche kon elk ogenblik naar buiten komen en dan zou het niet lang duren voordat ze iets in de schuur te doen had. Alise had dat amper bedacht, toen de deur van de stal openging en Vivian naar binnen kwam. Alise dook naar beneden en verborg zich achter haar zak met hooi. Vivian bleef bij de deur staan en schepte haver uit de grote ton die daar stond. Alles zou goed afgelopen zijn als Alises mobieltje niet was gegaan. Een domme beltoon, die ze juist daarom had gekocht. 'Aliiiiiseee – telefoooon!' galmde het steeds harder. Vivian staarde in haar richting. Alise mopperde in stilte. Waarom duurde het zo lang voordat ze die domme telefoon te pakken kreeg? Het was mama die belde. Alise weigerde de oproep. Ze kon horen dat Vivian met langzame stappen naar haar toe kwam. Ze moest opstaan, al had ze geen idee wat ze zou zeggen.

Vivian peilde haar met een koele blik. Alise vroeg zich af wat er met dat kind was. Waarom stond ze altijd klaar om Alise aan te vallen?

'Wat doe jij hier?'

'Wenche heeft me gevraagd om te voeren.' Het glipte gewoon vanzelf over Alises lippen.

'Ze moest nog een paar dingen afhandelen en dus... dus heeft ze mij gevraagd om het te doen...'ging Alise door terwijl ze knikte om elk woord dat ze zei te onderstrepen.

Vivian bekeek haar wantrouwig. Zeg niks meer, ga nu gewoon, dacht Alise. Ze sleepte de zak met hooi naar de deur.

'Wenche is toch hier?'

Vivian was niet helemaal overtuigd. Alise keek haar recht in de ogen. Nu moest ze goed nadenken voordat ze iets zei, zodat ze zichzelf niet verraadde.

'Ah, is ze terug? Dan moet ik naar haar toe.'

Alise wilde weer verder, maar Vivian trok aan de andere kant van de zak zodat Alise hem moest loslaten.

'Neem je die zak mee naar Wenche? Dat is toch nergens voor nodig?'

Die meid was een echte moerasmug! Ze beet zich in je vast en je raakte haar niet meer kwijt! Wat kon Alise in 's hemelsnaam bedenken? De telefoon ging opnieuw. 'Aliiiiiseee – telefoooon!' Mama gaf niet op. Alise moest antwoorden. Vivian verloor haar geen ogenblik uit het oog.

'Nee, niks', zei Alise. 'Ja, alles is oké. Ik ben bij Rebekka. Ik moet nu ophangen want we gaan eten.'

Toen ze haar telefoon dichtklapte, keek Vivian haar misprijzend aan.

'Vertel jij ooit de waarheid?'

Alise wist niet wat ze daarop moest antwoorden, dus rukte ze aan de zak met hooi en liep er langzaam mee naar de deur.

'Wat moet je met dat hooi?'

Alise antwoordde niet. Ze liep gewoon door naar buiten, stak het erf en de weg over en verdween in het bos aan de andere kant. Het zou te opvallend zijn als ze langs de rand van de weg met een grote zak hooi sleurde. Het was al erg genoeg dat Vivian haar had gezien. Zodra Wenche te weten kwam dat Alise daar was geweest en hooi had gestolen, zou ze meteen het verband begrijpen.

'Word wakker, Lasse! Wakker, wakker, wakker...' herhaalde ze in zichzelf terwijl ze zich door het struikgewas worstelde met Triggers ontbijt.

'Word nu wakker en kom me helpen!'

21.

Toen Alise met de zak hooi bij de hut kwam, zag ze Rebekka niet. Ze had gewaarschuwd dat ze waarschijnlijk weg zou zijn voordat Alise terug was. Zondag was een familiedag bij Rebekka, dus als ze niet opdook, zou haar moeder waarschijnlijk Alises ouders bellen.

Trigger hinnikte vriendelijk toen hij haar hoorde komen. Zelfs Stina begon te blaten, alsof ze wilde aangeven dat ze nu ook tevreden was met Alise. Waarschijnlijk omdat Alise eten bij zich had. Eigenlijk kwam het prima uit dat Stina met hen mee was gekomen. Zonder Stina hadden ze Trigger nooit alleen in de hut kunnen achterlaten. Paarden zijn kuddedieren en houden van gezelschap. Als ze alleen zijn, worden ze bang en beginnen ze te hinniken en lawaai te maken. Maar met Stina erbij voelde Trigger zich tevreden. Terwijl ze allebei gulzig van het hooi aten, zonk Alise afgemat op de vloer neer. Ze voelde zich zo radeloos en teleurgesteld dat een blik op Triggers bevuilde wonden haar aan het huilen bracht. Het lukte niet. Ze kon hem hier niet veel langer houden. Als ze niet met Lasse kon praten, moest ze zich gewonnen geven en het opgeven voelde net zo gemeen als dierenmishandeling.

Ze wilde dat ze dat paard nooit had gevonden. Dan was Lasse niet ziek geworden. Alise snikte het uit. Het was allemaal de schuld van dat domme paard!

Alise keek geschrokken op toen ze iemand voor de hut hoorde lopen. Ze snelde naar buiten en zag nog net de rug van een blauwe trui tussen de bomen verdwijnen. Ze waren ontdekt! Maar door wie? Dat was geen volwassene, dat wist ze zeker. Maar wie was het dan wel? Had hij naar binnen gegluurd en haar op de vloer zien huilen? Als het maar niemand was die ze kende!

Ze probeerde het realistisch te bekijken. Als iemand naar binnen had gegluurd, zou ze dat zeker hebben gehoord. Waarschijnlijk was het gewoon een jogger. Er zat niets anders op dan te wachten. Wachten tot Lasse wakker zou worden of... tot iemand hen zou vinden.

Eindelijk, toen het al begon te schemeren, kwam Rebekka. Ze had drie literflessen water bij zich en een grote plastic doos met paella, een restje van de zondagsmaaltijd thuis.

Alise vertelde dat Elias Hiort op de televisie was geweest en een beloning had uitgeloofd voor wie Trigger vond. Ze zei ook dat ze op heterdaad was betrapt toen ze hooi uit de stal haalde. En dat het zeer waarschijnlijk was dat Wenche en Vivian begrepen dat het met Trigger te maken had.

'En Lasse?' vroeg Rebekka.

Alise wist eerst niet wat ze zou zeggen.

'Lasse is blijkbaar zieker dan ik dacht', zei ze aarzelend. 'Misschien kunnen we het beter opgeven?'

Rebekka schudde zacht haar hoofd.

'Nu, opgeven? Dat kunnen we toch niet maken!'

Ze staarde met opgetrokken wenkbrauwen naar Alise.

'Wat kan Lasse dan wat jij niet kunt?'

Alise keek haar niet-begrijpend aan. Wat bedoelde ze?

'Moest hij niet gewoon bewijzen dat het paard berijdbaar is?' ging Rebekka verder.

'Eh, ja...'

'Nou, kun jij dat niet? Naar het verzekeringskantoor rijden en zeggen: "Kijk, hier is het paard en het is prima."'

Rebekka stelde het voor alsof dat de eenvoudigste zaak van de wereld was. En dat was het ook... Als ik maar kon rijden, dacht Alise. Of... had ze dat hardop gezegd?

'Bedoel je dat hij te wild is?' Rebekka had het gelukkig anders begrepen.

Alise gaf geen antwoord.

'Maar heb je het al geprobeerd?' vroeg Rebekka.

Ze bedoelde natuurlijk of Alise geprobeerd had om op Trigger te rijden. Maar als Alise verderging in haar eigen gedachtegang, kon ze het begrijpen als een vraag of ze ooit had paardgereden.

'Nee, nog nooit', antwoordde Alise.

'Misschien moet je dat eerst eens doen?' drong Rebekka aan.

Alise was het zo zat om zich de hele tijd stoerder voor te doen dan ze was. Het was tijd om aan Rebekka te vertellen wat voor een schijterd ze als vriendin had.

'Ik moet je iets zeggen...' begon ze.

Verder kwam ze niet, want ze hoorden Trigger hinniken onder het afdak. Alise voelde haar hart sneller kloppen. Ze gebaarde naar Rebekka dat ze stil moest zijn, stond voorzichtig op en sloop naar een van de lege raamopeningen. Trigger bewoog onrustig en hinnikte opnieuw. Alise keek voorzichtig naar binnen. Het was pikdonker en er leek niemand binnen. Maar Trigger stampte. Iets moest hem aan het schrikken gebracht hebben. Alise sloop verder rond de hut. Rebekka volgde haar op de voet en greep haar stevig vast toen ze naar Trigger onder het afdak gingen. Alles zag er normaal uit.

Opeens vlamde er een lucifer op en die lichtte het harde, hoekige gezicht van Hockey op. Hij leunde tegen de muur achter Stina en grijnsde.

'Drie mogelijkheden: of je brengt die knol naar buiten, of ik ga het zeggen, of ik laat zo'n lucifer op de vloer vallen.'

Hij zwaaide met de lucifer. Alise twijfelde er geen seconde aan dat hij het meende. Hij had natuurlijk over de beloning gehoord. De lucifer was bijna opgebrand. Hockey blies hem uit en stak een nieuwe aan.

'Die vent van het paard heeft er lak aan of hij het beest dood of levend krijgt', grinnikte hij. 'Dat geldt ook voor mij.'

'Hoe kun je zo gemeen zijn!' Rebekka had eindelijk haar stem teruggevonden. 'Rotjongen!'

'Dit is de laatste!'

Hockey stak de derde lucifer aan.

'Geef hier!'

Dat was Sebben. Ze hadden hem niet horen aankomen, maar hij stond opeens vlak achter hen. Had hij nu hun kant gekozen of zo?

'Hiermee ga je te ver, Hockey', zei hij kalm. 'Het is genoeg geweest.'

'Heb je niet gehoord wat ik zei? Dit is de laatste', riep Hockey.

Trigger schrok van het geschreeuw en ging in zijn volle lengte op zijn achterpoten staan. Hockey deinsde geschrokken terug en daar maakte Sebben gebruik van. Hij wierp zich op Hockey. 'Geef je over!'

Niemand merkte dat de laatste lucifer niet gedoofd was toen hij op de vloer viel. Een paar seconden later flikkerden de vlammen op uit het hooi. Alise reageerde bliksemsnel en maakte Triggers halster van de haak los. Trigger was doodsbang – hij steigerde en schudde zijn hoofd angstig op en neer. Bij de volgende ruk van zijn hoofd gooide hij de halster af. Hij was vrij! Trigger trappelde met zijn voorbenen en draaide zich om. Toen rees hij hoog op en rende naar buiten. Rebekka en Sebben drukten zich opzij tegen een muur om niet vertrapt te worden.

In een paar tellen was Trigger in de duisternis verdwenen. Alise zwoegde om de knoop van de Palestijnse sjaal los te sjorren waarmee Stina was vastgebonden. De rook prikte in haar neus en brandde in haar ogen. Nog even en ze kon niet meer. Opeens was Sebben daar. Hij riep dat ze naar buiten moest. Alise schudde haar hoofd. Niet zonder Stina! Sebben greep de sjaal vast en trok er zo hard aan dat hij scheurde. Het ogenblik daarna wankelden ze alle drie naar buiten. Het schaap blaatte luid en Alise en Sebben hoestten zwart slijm op.

Hockey ging langzaam achteruit naar het pad. Drie tegen een was niets voor hem, tenminste als hij diegene was die er alleen voor stond.

'Jij k'nt 'n pak slaag verwacht'n, Sebb'n!' dreigde hij voordat hij zich omkeerde en tussen de bomen verdween.

Sebben vertelde dat hij en Hockey het paard vanmiddag hadden ontdekt.

'Hockey zei dat we het moesten pakken. Om de tienduizend kronen binnen te halen. Toen ik niet mee wilde doen, werd Hockey woest en begon hij te dreigen...'

'Wat een geweldige vriend...' Rebekka kneep haar ogen halfdicht. 'Gewoon fantastisch!'

Sebben keek beschaamd naar de grond.

'Ik ga maar', zei hij.

Hij rochelde en spuugde een grote fluim opzij terwijl hij van hen wegliep.

'Sebben, wacht! Wij waren toch ooit vrienden, of niet?' riep Alise.

Sebben draaide zich om en keek van Alise naar Rebekka.

'Eh, ja...'

'Help ons dan zoeken naar Trigger!'

Na enige aarzeling knikte Sebben en kwam hij weer naar hen toe.

Ze spraken af dat Rebekka en Sebben in de buurt van de hut zouden zoeken en dat Alise in de richting van Blystad zou lopen. De situatie zag er eerlijk gezegd niet al te best uit. Als Trigger naar Blystad was gedraafd, zou het niet lang duren voordat de jagers van de Vereniging voor Wildbeheer hem vonden. En Hockey zou waarschijnlijk zo snel mogelijk Elias Hiort bellen. Om van Vivian maar niet te spreken...

22.

Alise rende het hele eind naar Blystad. Haar lichaam zinderde van angst en inspanning. Ze durfde niet om Trigger te roepen omdat ze bang was dat ze daardoor aandacht zou trekken.

De ijskoude novemberwind gierde tussen de woonblokken. Dikke, grauwe wolken gleden langs de hemel en beloofden binnenkort sneeuw. Alise had het zo koud dat haar tanden ervan klapperden. Er was geen mens te zien. Op de platgetrapte grasvelden vond ze geen enkel spoor van Trigger. Ze trok de kraag van haar jas omhoog tot over haar oren en rende verder naar het winkelcentrum en het metrostation. Uit die richting kwam hij toen ze hem de eerste keer zag.

Bij het winkelcentrum hingen een paar jongeren rond. Ze waren aan het roken en leken nergens in geïnteresseerd, zoals altijd. Alise hoefde hun niet te vragen of ze een paard hadden gezien. Dan zouden ze zich wel anders gedragen, dat wist ze zeker.

Ze jogde langs het hek tussen het sportplein en het metrospoor, toen een beweging in haar linkerooghoek haar aandacht trok. Daar liep Trigger, midden op het metrospoor! Hoe was hij daar in 's hemelsnaam gekomen? Er moest ergens een opening in het hek zijn. Alise vergat een ogenblik alle voorzichtigheid en krijste: 'TRIGGER!'

De gil kwam van zo diep, dat ze haar maag in haar keel voelde. Haar wanhoopskreet weergalmde tegen het beton. Het enige dat ze ermee bereikte, was dat Trigger zijn vaart versnelde en in de metrotunnel verdween. Alise gleed half vallend van de steile helling naar de sporen. Dit was verboden terrein. Er hingen overal grote waarschuwingsborden en er stond een hoog hek met prikkeldraad. De palen van het hek staken er een beetje bovenuit en dat was precies de steun die Alise nodig had om eroverheen te springen. Ze wist beter dan wie ook hoe gevaarlijk dit was. Papa had haar ooit verteld over zijn grootste angst: dat er iemand zo dom en onverantwoord zou zijn om in de tunnel te spelen terwijl hij aan het werk was. Een paar collega's hadden het al eens meegemaakt. Het liep zelden goed af. Maar nu dacht ze daar niet aan. Ze dacht niet aan het risico voor zichzelf, zelfs al was wat ze nu deed het gevaarlijkste wat ze ooit in haar leven had gedaan. Het enige waaraan ze dacht, het enige dat op dit moment voor haar telde, was Trigger... hem daaruit halen!

Ze rende zo snel ze kon over het grove grind tussen de sporen, achter Trigger het duister in.

De echo in de tunnel vervormde het geluid van Triggers hoeven. Alise kon niet inschatten hoe ver weg hij was, maar ze wist dat ze in zijn buurt liep. Opeens werd het muisstil. Alise bleef staan en luisterde. Er scheen geen licht in de tunnel, er waren alleen een paar zwakke lampen bij de nooduitgangen in de rots. Ze probeerde haar ademhaling te controleren en liep langzaam verder. Ze hoorde opnieuw stappen. Een seconde later verscheen Trigger in een lichtstraal. Hij zag er onwezenlijk uit zoals hij daar stond tussen de sporen met hoog opgeheven hoofd. Als een lichtgevend, wit spookpaard. Alise liep voorzichtig naar hem toe toen ze ineens hoorde dat de sporen begonnen te zoemen. En nu voelde ze voor het eerst angst. De lage, schrille toon klonk steeds harder. Alise wist dat het slechts een paar seconden zou duren voor de trein er was.

'Trigger', lokte ze zacht. 'Zooo, jaaa... Zooo, jaaa, jongen...' Ze proefde zout op haar bovenlip. Het geluid van de sporen was nu zo hard, dat ze elk moment verwachtte de treinlichten te zien.

'Zooo, jaaa...'

Nu was ze dicht genoeg bij hem. Ze rekte zich om de halster over zijn hoofd te leggen. Maar telkens weer lichtte hij zijn hoofd op, zodat ze er niet bij kon.

'Kom, Trigger, blijf nu even staan...'

Daar kwam het licht. Trigger reageerde er niet op, hij bleef gewoon staan. Ze moest van tactiek veranderen. Ze moest hem uit het spoor jagen.

'Tju! Tjuuuu!' riep ze.

En op het laatste nippertje, een paar centimeter voordat de ramp zou gebeuren, sprong hij van het spoor naar de zijkant. Alise besefte aan welke ongelofelijke gruwel ze ontsnapt waren: het was papa die de trein bestuurde! In een fractie van een seconde herkenden hun ogen elkaar. Zodra papa van de schok bekomen was, zou hij aan de rem trekken en de trein stoppen. Hij zou alarm slaan en binnen de kortste tijd wist iedereen waar ze waren.

Zwetend en bibberend kreeg Alise eindelijk de halster over Triggers hoofd. Ze leidde hem uit de tunnel. Een paar meter verder was er een groot gat in het hek. Trigger liep gehoorzaam met haar mee.

Ze durfde niet eens te bedenken wat er daarbinnen gebeurd kon zijn. Maar het onheil was nog niet afgewend. Alise had het akelige gevoel dat er een ramp op de loer lag, waar ze ook naartoe liep. Ze had slechts één doel in haar hoofd: Lasse! Het ziekenhuis stak hoog als een toren boven alle andere gebouwen in de omgeving uit. Alise liep met besliste stap naar het reusachtige blok vol verlichte ramen.

'Daar', zei ze tegen Trigger. 'Daar gaan we heen.'

Alise rende met Trigger in rustige draf naast haar. Haar keel zat dichtgesnoerd. Het ging te langzaam! Elk ogenblik konden ze door Hiort, de jagers van het Wildbeheer of op geld beluste monsters worden ontdekt. Er stond een ijskoude wind en de sneeuwvlokken striemden in haar gezicht. Ze klemde haar vingers krampachtig om Triggers halster en voelde ze langzaam bevriezen.

Ze was ontzettend moe. Misschien kon ze proberen om op zijn rug te kruipen? Nee, ze durfde niet. Ze moest blijven lopen, dat was de enige mogelijkheid. Zo snel als ze kon.

23.

Lasses kamer lag op de zesde verdieping. Zijn ramen keken uit op de parkeerplaats, dat had ze gezien toen ze op bezoek was. Maar er waren zo veel ramen!

'Lasse!' Haar stem klonk zwak en iel op de grote, open parkeerplaats.

Misschien stond zijn raam op een kier en kon hij haar horen?

'Lasse!' riep ze wat harder. 'Ik heb Trigger! Lasse, luister! Trigger is hier...'

Een vrouw in een verpleeguniform liep van de ingang naar de parkeerplaats.

'Wacht!' riep Alise.

Misschien kon ze haar vragen om een bericht door te geven? Om naar de afdeling te gaan en iets te zeggen? Maar de verpleegster keek niet eens, ze trok gewoon haar jas wat dichter om zich heen en liep door.

Misschien was mama hier nog? Dan kon ze haar bellen. Alise bibberde zo hard dat ze verschillende keren fout drukte voordat ze het juiste nummer had... en toen kreeg ze de voicemail. Dat was Alise vergeten. Als mama bij Lasse in de kamer was, moest ze haar telefoon uitzetten om de machines niet te verstoren.

'Lasse!' Alises stem brak in een snik. Haar keel was schor van de doorstane inspanningen.

Twee lange lichtkegels zwiepten over de parkeerplaats. Alise werd erdoor verblind. De auto stopte en iemand sprong eruit zonder de deur achter zich te sluiten. Alise kon niet zien wie er naar haar toe kwam en voelde een lichte paniek.

'Alise!'

Het was papa. Hij was razend.

'Waar ben je in godsnaam mee bezig? Ik belde naar Rebekka en...'

Trigger sprong nerveus opzij en botste tegen een auto. Daar schrok hij weer van en hij danste rond Alise zodat ze al haar aandacht nodig had om hem in toom te houden.

'Alise, ben je gek geworden? Ik had je kunnen doodrijden!'

'Ga weg! Je maakt Trigger aan het schrikken', riep Alise. 'Ga weg! Je maakt het alleen maar erger!'

Opeens begreep papa de situatie. Hij wankelde achteruit naar de auto, met zijn armen futloos langs zijn lichaam.

'Lasse!' riep Alise opnieuw. 'Help!'

Wat mama ertoe bracht om van haar stoel naast de stervende Lasse op te staan, is niet te verklaren. Ook niet waarom ze precies op dat moment naar het raam ging en buiten keek. Misschien was het puur toeval, of misschien had ze het gevoel dat er buiten iets was. Maar in elk geval, ze stond er. En toen Alise opnieuw met haar ogen alle ramen van de zesde verdieping afzocht, keek ze opeens recht in het vertrouwde gezicht van mama.

'Mama!' huilde Alise. 'Mama...'

Op hetzelfde moment hoorde Alise het gierende geluid van banden en zag ze een auto razendsnel de parkeerplaats opdraaien. Ze begreep het al voordat ze hen zag. Ze waren hier! De schurken die alles bij Triggers dood te winnen hadden en voor niets of niemand terugdeinsden.

Alise keek omhoog naar het raam waar mama stond. Mama wees met wilde gebaren naar iets of iemand daarbuiten. Alise zag haar roepen, maar kon niets horen. Ze voelde een verschrikkelijke behoefte om getroost te worden, om zich tegen mama aan te gooien en haar armen veilig om zich heen te weten. Maar toen ze zich omdraaide om te zien waar mama naar wees, keek ze in de loop van een geweer. Op ongeveer 20 meter afstand. Als Alise zich nu overgaf, zouden ze zonder aarzelen Trigger neerschieten. Dat mocht ze niet laten gebeuren. Alise zorgde ervoor dat ze de hele tijd tussen Trigger en het geweer liep terwijl ze hem achter een auto leidde. Zonder haar greep op zijn manen te verslappen, klauterde ze op de auto en liet ze zich voorzichtig op zijn rug glijden. Trigger wachtte heel rustig tot ze ver genoeg naar voren was gekropen om zijn manen met beide handen vast te grijpen.

Haar hart bonkte zo luid, dat ze het schot niet hoorde. Maar Trigger wel. En hij ging er als een pijl vandoor. Langs de rijen auto's, naar het hek dat de parkeerplaats afschermde van de steile bergwand met de autoweg eronder. En toen Trigger bij het hek kwam, stopte hij niet, maar sprong hij de lucht in.

'Vlieg!'

Dat was Lasses stem in haar hoofd! Zo helder en duidelijk alsof hij bij haar was. En ze zweefden inderdaad, recht door de warrige sneeuwlucht.

'Ga ik nu dood?' dacht Alise. 'Hoor ik daarom je stem?'

'Nee!' Dat was Lasse opnieuw. 'Je gaat niet dood. Niet jij, mijn dappere helper!'

'Ach, Trigger', dacht Alise. 'Ik wil zo graag dat alles goed afloopt.'

Onder zich zag ze de auto's voorbijglijden. Vier rijen. Twee in elke richting.

'Vliegen wij?'

'Natuurlijk! Hoor je de vleugels niet?'

'Weet je zeker dat ik niet doodga?'

'Ssst... Luister...'

'Ik hoor het...'

'Alles gaat goed. Met jou. En met je paard.'

'Ach, Lasse...'

'Ik ben zo trots op je! Luister nu... Luister!'

Alise lag voorovergebogen tegen de warme paardenhals. Het leek alsof de tijd een versnelling terugschakelde. Ze hoorde Triggers rustige ademhaling en voelde de wind in vertraagd tempo langs haar oren suizen.

Toen volgde een zware klap. Alles werd zwart.

24.

Dikke, witte sneeuwvlokken zweefden over de bloemenkransen op Lasses graf. Er was een korte, eenvoudige dienst op het kerkhof. De kleine begrafenisstoet liep daarna terug naar de auto's, maar mama en Alise bleven met hun armen om elkaar bij het graf staan.

'Weet je wat zijn laatste woord was?' vroeg mama.

Alise schudde haar hoofd, ook al had ze een vaag vermoeden.

'"Vlieg!" Hij zei: "Vlieg!"'

'Misschien was het inbeelding,' antwoordde Alise, 'maar toen ik met Trigger sprong, leek het alsof ik dat woord in mijn hoofd hoorde. Met Lasses stem.'

Mama keek haar met tranen in haar ogen aan.

'Geloof dat maar', zei ze.

Alise was die dag uit het ziekenhuis opgehaald. Ze voelde zich nog steeds vermoeid en zwak na een week in het ziekenhuis. Ze had een paar gekneusde ribben, een gebroken vinger en een verstuikte voet. Iedereen zei dat ze een heldin was.

Alise zat te soezen op de achterbank toen papa de auto voor de boerderij van Wenche parkeerde.

'Waarom stoppen we hier?' vroeg ze verward.

Mama en papa keken haar aan zonder iets te zeggen. Alise kreeg tranen in haar ogen. Zou het kunnen...?

In de omheinde ruimte voor de stal draafde Trigger met zijn staart in de lucht. Hij zag er schitterend uit! Alise liep naar de omheining en lokte hem.

'Kom eens, jongen... kom...'

Op hetzelfde ogenblik kwamen Rebekka en Sebben aangefietst. Rebekka wilde geen tijd verliezen door haar fiets netjes te stallen en gooide hem aan de kant. Ze sloeg haar armen om Alise heen en hield haar lange tijd stevig vast.

'Ik wist dat het je zou lukken', fluisterde Rebekka.

'Maar ik heb gelogen dat ik kon rijden', fluisterde Alise terug.

'Dat was geen leugen. Je hebt het immers gedaan!'

Ze lieten elkaar los. Rebekka porde haar in haar zij.

'Ga nu je paard halen!'

'Hou op', glimlachte Alise. 'Dat verhaal is afgesloten.'

'Maar hij is echt van jou!' zei Rebekka vrolijk.

Alise begreep het niet.

'Trigger is eigenlijk van Lasse', zei mama. 'Ik weet dat dit zijn wens zou zijn.'

Alise kon het niet geloven. Ze staarde hen om de beurt aan. Hoe hadden ze dat kunnen betalen? Alise begreep er niks van.

Mama vertelde dat ze hem bijna gratis hadden gekregen. De zwendel was ontdekt, maar het paard was verknoeid en kon niet meer voor wedstrijden gebruikt worden.

Het geld kwam uit de erfenis van Lasse.

Wenche had zich een beetje op de achtergrond gehouden. Ze kwam nu tevoorschijn en klopte Alise op haar rug.

'Dat wou ik je nog zeggen, Alise', zei ze. 'Het was niet slecht.'

Alise zag dat ze ontroerd was. Toen liep Alise de omheinde ruimte in en wachtte ze in het midden.

'Kom', zei ze zacht.

Trigger wipte met zijn hoofd en bekeek haar nieuwsgierig.

'Kom?'

Nu keerde Trigger zich naar haar toe en kwam hij aangedraafd. Even voelde Alise een zweem van de vroegere angst. Stel dat hij haar niet herkende en haar aanviel? Maar toen hij vlak voor haar was, stond hij stil en wipte hij weer met zijn hoofd. Alise legde haar armen om zijn hals en streelde zijn zachte vacht. Hij herkende haar. Meer zelfs, hij hield van haar! Trigger hinnikte blij en neusde in haar haren.

Wenche kwam aan met een opgepoetst hoofdstel en liet Alise zien hoe ze het moest omdoen.

'Je kunt niet blijven rondhossen met een eenvoudige halster', glimlachte ze. 'Laat dit mijn bijdrage zijn.'

Mama waagde zich nu ook dichterbij en reikte haar een fonkelnieuwe rijhelm aan.

'En dit,' zei ze, 'moet je altijd gebruiken! Goed gehoord, Alise?'

Alise moest het hek als opstapje gebruiken om op de paardenrug te klimmen. Vanaf daar keek ze letterlijk neer op Rebekka, mama, papa, Wenche en Sebben. Stuk voor stuk waren ze hiervan op de hoogte geweest, hadden ze gezorgd dat het in orde kwam.

'Dankjewel', zei Alise. 'Voor alles!'

Ze reed langzaam naar het erf en het terrein ernaast. Trigger liep veerkrachtig, met grote passen. Alise voelde zich zielsgelukkig toen haar lichaam in dezelfde cadans begon te bewegen, zodat elke pas als een vloeiende golf door hen beiden heen ging. Ze kon nog steeds niet geloven dat hij van haar was, dat ze vanaf nu elke dag kon rijden! En toen dacht ze aan Lasse. Ze zou willen dat hij hier kon zijn om haar geluk te delen. Lasse, die haar dit geschenk had gegeven. Lasse, die haar had verteld over de liefde en het vertrouwen tussen paard en mens...

'Dank je, Lasse', zei Alise zacht. 'Duizendmaal bedankt!'

Ze boog zich voorover tegen Triggers hals en fluisterde: ‘Zul je stoppen als ik aan de teugels trek?’

Ze trok voorzichtig aan de teugels en Trigger stond stil. Alise ademde diep in en pakte de manen goed vast.

‘Vlieg!’

Met dank aan mijn vijf kinderen:
Adrian, Benjamin, Julia, Arno en Isa.
En aan Arne, Silje, Tanya, Gunnar, Torun en Pia.